PROFIL Collection dirigée par Georges Décote
D'UNE ŒUVRE

KU-140-803

LES JUSTES

CAMUS

Analyse critique

par Madeleine BOUCHEZ

Agrégée des Lettres,
Professeur au Lycée de Sèvres.

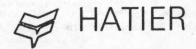

HATIER

ISSN 0750-2516   ISBN 2 - 218 - 02369 - 5

> « *La justice est à la fois une idée*
> *et une chaleur de l'âme.* »
> (CAMUS, *Combat*, 22-11-44)

1905. Le jeune terroriste Kaliayev, membre d'une organisation révolutionnaire, se refuse à lancer une bombe contre le grand-duc Serge, en s'apercevant que celui-ci est accompagné de deux enfants, ses neveux. Quelques jours plus tard, Kaliayev lancera la bombe, quand la cible sera le seul grand-duc.

1949. Intéressé par cet événement historique, Camus en fait le sujet de sa pièce *Les justes*. Ses propres problèmes et ceux de son temps nourrissent cette œuvre, œuvre à double foyer, pourrait-on dire :
. le début du XXe siècle en Russie;
. le milieu du XXe siècle en France, en Europe et dans le monde.

Sommaire

Note : Les références aux *Justes* renvoient à la collection
« Folio », Gallimard, 1973.

Introduction

La pièce de théâtre que nous présentons ici est loin de cons-
tituer l'ouvrage le plus célèbre de Camus. *L'étranger*, *Caligula*,
La peste, *La chute* ont séduit davantage et ont inspiré des
commentaires beaucoup plus abondants. Néanmoins, à mesure
que nous prenons du recul, *Les justes* apparaissent comme
un texte central, non seulement dans l'œuvre de Camus, mais
parmi les préoccupations majeures de notre temps.

Nous envisagerons cette pièce comme une sorte de
noyau, à partir duquel nous tenterons de faire rayonner les
grands thèmes camusiens, les problèmes qui se sont posés
à la conscience des hommes après la guerre de 1939-1945,
les contradictions inhérentes à l'action politique, les angoisses
que suscite la recherche des valeurs, dans un monde qui à
maints esprits semble privé de toute caution divine [1].

1. Le prix Nobel de littérature fut décerné le 17 octobre 1957 à Camus par l'Acadé-
mie royale de Stockholm, pour l'ensemble d'une œuvre qui « met en lumière avec
un sérieux pénétrant les problèmes se posant de nos jours à la conscience des hommes ».

1 Les années 50

CONTEXTE HISTORIQUE

- 8 mai 1945 : Armistice.
- 16 mai 1945 : Massacres et répression à Sétif.
- 6 août 1945 : Bombe atomique à Hiroshima.
- Juillet-août 1945 : Procès du maréchal Pétain.
- 5 mars 1946 : Discours de Churchill à Fulton (USA), dans lequel il dénonce le comportement soviétique de l'autre côté du « rideau de fer ». Ce discours marque le début de la « guerre froide ».
- Décembre 1946 : Insurrection générale à Hanoï - Début de la guerre d'Indochine (1946-1956).
- Août 1946 : Début de la guerre civile en Grèce.
- Mars 1947 : Insurrection générale à Madagascar, réprimée par la France de manière sanglante.
- 14 avril 1947 : Fondation du RPF par le général de Gaulle.
- Juin 1947 : Plan Marshall d'aide économique à l'Europe.
- Septembre 1947 : Création du Kominform pour contre-balancer le plan Marshall.
- 30 janvier 1948 : Assassinat de Gandhi.
- Février 1948 : Coup d'état communiste à Prague.
- Mars 1948 : Début du blocus de Berlin (jusqu'en mai 1949).
- Mai 1948 : Rupture entre la Yougoslavie de Tito et l'URSS.
- 17 septembre 1948 : Assassinat du comte Bernadotte (favorable au retour des réfugiés palestiniens dans leur foyer) par l'organisation terroriste Stern.
- Février 1949 : Procès, en Hongrie, du cardinal Mindszenty (arrêté le 27 décembre 1948). Condamnation à mort.

- Avril 1949 : Mise sur pied de l'OTAN : organisation militaire du bloc occidental.
- Septembre 1949 : En Hongrie, procès de L. Rajk. Condamnation à mort.
- 1er octobre 1949 : Proclamation de la République populaire chinoise par Mao Tsé-Toung.
- Juin 1950 : Début de la guerre de Corée (1950-1953).
- Avril 1951 : Aux USA, condamnation à mort des époux Rosenberg, accusés d'espionnage au profit de l'URSS. (C'est la période du « maccarthysme » et de la « chasse aux sorcières ».)
- Novembre 1952 : En Tchécoslovaquie, procès de Slansky. Onze condamnations à mort.
- Mars 1953 : Mort de Staline.
- Juin 1953 : Émeutes à Berlin-Est. Intervention des blindés soviétiques.
- Août 1953 : Déposition par les Français du Sultan du Maroc.
- Mai 1954 : Défaite des Français à Dien-Bien-Phu.
- Novembre 1954 : Début de ce qui va devenir la guerre d'Algérie.

***

Ces années apparaissent, à la simple lecture de ce tableau, comme particulièrement dramatiques : Agitation dans le Tiers Monde, tension entre l'Est et l'Ouest, procès politiques et condamnations à mort : on est loin des « lendemains qui chantent ». Que la génération de Camus ait été particulièrement sensibilisée à ces développements de l'histoire, un passage du *Discours de Suède* en témoigne : « Ces hommes, nés au début de la première guerre mondiale, qui ont eu vingt ans au moment où s'installaient à la fois le pouvoir hitlérien et les premiers procès révolutionnaires, qui ont été confrontés ensuite, pour parfaire leur éducation, à la guerre d'Espagne, à la deuxième guerre mondiale, à l'univers concentrationnaire, à l'Europe de la torture et des prisons, doivent aujourd'hui élever leurs fils et leurs œuvres dans un monde menacé de destruction nucléaire. Personne, je suppose, ne peut leur demander d'être optimistes[1]. »

1. Cité par J.-C. BRISVILLE, *Camus*, Gallimard, 1959 (La Bibliothèque idéale, p. 218).

Pour compléter ce bilan, rappelons que Camus avait 21 ans quand furent assassinés le chancelier d'Autriche et le roi de Yougoslavie, 23 ans au moment des procès de Moscou. On comprend que le « meurtre politique » n'avait rien d'abstrait pour l'auteur des *Justes* et de *L'homme révolté*, qui avait eu par ailleurs l'occasion de réfléchir de façon personnelle sur les actions des résistants et les règlements de comptes consécutifs à la Libération.

DANS LE MONDE DES LETTRES

Il s'était formé, après la Libération, une sorte de République des penseurs internationaux dont témoignent par exemple, en octobre 1946, les entretiens politiques [1] qui se déroulèrent entre Camus, Sartre, Malraux, Koestler et Manès Sperber. La cohésion ne résista pas à la guerre froide et aux tensions diverses. Mais, quelles que soient les orientations prises, nombre de ceux qui publient des livres se proposent de porter un témoignage, soit sur l'époque, soit sur la marche de l'histoire, soit sur des événements politiques et leurs répercussions.

1945 : Traduction française d'un roman d'Arthur Koestler : *Le zéro et l'infini* (publié en anglais en 1940). L'auteur, ancien communiste, raconte les déboires d'un militant accusé de déviationnisme et finalement condamné à mort.

1946 : Traduction française d'un autre ouvrage d'Arthur Koestler, *Le yogi et le commissaire*. L'auteur s'emploie en particulier à faire « l'anatomie d'un mythe », en l'occurrence le mythe soviétique.

- La même année, Sartre fait jouer au Théâtre Antoine *Morts sans sépulture*. C'est une pièce sur la torture, sans autres personnages que des victimes (les résistants arrêtés) et des tortionnaires (les miliciens).

- *L'univers concentrationnaire* (Le Pavois), de David Rousset, fait beaucoup de bruit ; c'est un témoignage vécu sur le camp de Buchenwald.

---

1. Dans ses *Carnets* ** (Gallimard, p. 187), après avoir relaté quelques-uns des propos tenus lors de cette réunion, Camus ajoute : « Et pendant tout ce temps, l'impossibilité de définir ce qu'il entre de peur ou de vérité dans ce que chacun dit. »

1947 : David Rousset publie *Les jours de notre mort*, témoignage comparable au précédent, mais plus étoffé, et présenté sous forme romanesque. Les deux livres de David Rousset sont cités par Camus dans ses *Carnets* ** (Gallimard, p. 214).
- De son côté, Merleau-Ponty, philosophe ami de Sartre, publie sous le titre *Humanisme et terreur* une étude qui, sous une forme un peu différente, avait paru dans *Les temps modernes*; le titre de cet article, *Le yogi et le prolétaire*, annonçait la volonté de répondre à Koestler. La violence y est cautionnée, au nom des sacrifices nécessaires à l'établissement d'un régime appelé à satisfaire les aspirations des hommes. C'est un point de vue (auquel d'ailleurs son auteur renoncera) que discutera Camus dans *Les justes*, et qu'il condamnera dans *La peste* et dans *L'homme révolté*.
- Deux romans sont à signaler en cette année 1947 : *La peste*, de Camus, chronique d'une ville envahie par un mal dans lequel on peut reconnaître la « peste brune », le nazisme (c'est du moins une des interprétations possibles). Et *Les forêts de la nuit*, de J.-L. Curtis, qui reçut le prix Goncourt; l'auteur y raconte les activités de collaborateurs et de résistants pendant l'Occupation.

L'année 1947, riche en œuvres importantes, voit également paraître une pièce de Montherlant, dont la représentation sera donnée l'année suivante : *Le maître de Santiago*, tragédie du refus intransigeant. Retenons enfin la version scénique, au Théâtre Marigny, du *Procès* de Kafka.

1948 : Une pièce de Camus, *L'état de siège*, subit un échec. Une pièce de Sartre, dont nous aurons l'occasion de parler plus loin, *Les mains sales*, remporte un vif succès.

1949 : C'est l'année des *Justes*. C'est aussi l'année où les lecteurs français lisent avec passion et avec angoisse *La vingt-cinquième heure*. Pour l'auteur, un Roumain, Virgil Georghiu, la dernière conflagration mondiale a introduit l'homme dans ce qui est au-delà du supportable.

1950 : Le romancier anglais Orwell publie *1984*, récit qui, sous la forme d'une utopie rappelant *Le meilleur des mondes*, démonte le mécanisme du régime totalitaire.

1951 : David Rousset fait paraître, en collaboration avec deux avocats, Théo Bernard et Gérard Rosenthal, un ouvrage intitulé *Pour la vérité sur les camps concentrationnaires*. L'insistance que met D. Rousset à faire connaître l'existence des camps de travail soviétiques est à l'origine d'un véritable drame dans l'intelligentzia française. C'est en 1951 également que Camus publie *L'homme révolté*. L'orientation générale de cet essai, et surtout les chapitres consacrés à la Russie soviétique déclenchent une polémique avec la presse d'extrême gauche, et provoqueront, l'année suivante, la rupture entre Camus et Sartre.

1953 : Thierry Maulnier fait représenter au Théâtre Hébertot une pièce en trois actes, *La maison de la nuit*, qui sera publiée l'année suivante chez Gallimard. Le problème posé est proche de celui auquel *Les justes* et *Les mains sales* invitent à réfléchir : Doit-on, pour mener à bien un projet politique, faire taire tout scrupule ?

1954 : Le prix Goncourt est attribué à Simone de Beauvoir pour son roman *Les mandarins*. C'est un précieux témoignage sur les lendemains de la Résistance et sur les déchirements des intellectuels. Malgré les dénégations de l'auteur, une partie du public et des critiques continue à y voir une sorte de « roman à clefs », les deux principaux personnages masculins représentant l'un Sartre, l'autre Camus.

Le monde littéraire, en ces années, est aussi éloigné de la « gratuité » gidienne que des recherches formelles du « nouveau roman » ou du « nouveau théâtre ». Lecteurs et spectateurs, à travers des œuvres relativement accessibles, sont invités à réfléchir sur des faits semblables à ceux que leur communique le journal ou la radio. C'est de ce monde-là que Camus a été l'un des interprètes les plus écoutés : un Camus qui s'est éloigné de *Sisyphe* et de *L'étranger*, qui n'a pas encore atteint la dérision de *La chute*; un Camus qui médite sur le meilleur usage de la révolte; un Camus qui propose au public des années 50 cette sorte de trilogie que forment *La peste*, *Les justes* et *L'homme révolté*.

CAMUS ET LE THÉÂTRE

« Le théâtre, que j'ai aimé avec une passion sans égale... »
Nul doute que cette parole de Clamence, dans *La chute*,
n'exprime un sentiment profond et constant de Camus.

• *L'acteur*

Sa vocation théâtrale apparut très tôt. Camus n'avait guère plus
de vingt ans quand il fonda à Alger le *Théâtre du travail*,
qui devait devenir un peu plus tard le *Théâtre de l'équipe*.
Nouveau Molière, Camus y cumulait les activités. Acteur, il
joua les rôles du jeune voleur dans *Les bas-fonds* de Gorki,
de Don Juan dans le *Don Juan* de Pouchkine, d'Ivan dans
Les frères Karamazov [1], rôle pour lequel il avouait sa prédilection. Camus jouait aussi, durant la même période, dans la
troupe théâtrale volante de Radio-Alger, de nombreux rôles
classiques. Peu de gens savent que, en 1944, Sartre avait pensé
à lui confier le rôle de Garcin dans *Huis Clos*, et que Camus,
s'il n'était mort prématurément, aurait sans doute pris la
direction d'un théâtre parisien. Il connaissait à fond le monde
des acteurs ; il trouvait son plaisir à jouer et à faire jouer. Il
aimait le comédien, « cet individu qui veut tout atteindre et
tout vivre ».

1. Version de Copeau-Croué.

● *L'auteur*

Cependant, c'est moins à l'animateur et à l'acteur que nous pensons ici, qu'à l'auteur. Déjà, pour les troupes d'amateurs dont il s'occupait dans sa jeunesse, Camus avait adapté des œuvres importantes, en particulier *Le temps du mépris*, de Malraux. Il avait aussi écrit une pièce politique, *Révolte dans les Asturies* (dont la municipalité d'Alger interdit la représentation en 1936).

L'œuvre dramatique proprement dite peut paraître mince. Quatre pièces seulement, dont l'une, *Caligula* (représentée en 1945), séduisit le public; une autre, *Les Justes* (1949), emporta l'estime des spectateurs, tandis que *Le malentendu* (1944) avait été un demi-succès, et *L'état de siège* (1948) un échec. Si ce théâtre de Camus, accusé d'être un « théâtre d'idées », est parfois jugé sévèrement, les admirateurs de Camus, ceux qui sont attirés par sa personne et familiers de sa pensée, le considèrent au contraire comme une part précieuse de son œuvre.

Il faut d'ailleurs ajouter à ses propres pièces ses adaptations, non plus celles de sa jeunesse, mais celles qu'il a réalisées après quarante ans et qu'il a véritablement marquées de son sceau. Retenons, parmi les plus importantes, *La dévotion à la Croix*, d'après Calderon (Festival d'Angers - 1953); *Requiem pour une nonne*, d'après Faulkner (1956); *Les possédés*, d'après Dostoïevski (1959). Ces traductions et adaptations, dans leur variété, doivent être probablement considérées comme des « gammes [1] » qui auraient aidé Camus dans son projet de renouveler la tragédie moderne. C'est d'ailleurs à ce thème qu'il avait consacré une importante conférence prononcée à Athènes en 1955 sur *L'avenir de la tragédie* [2]. Camus y souhaitait que l'art dramatique fût remis « à sa vraie place, au sommet des arts littéraires », et il se demandait si « le déchirement intérieur » pourrait trouver au milieu du XXe siècle « une expression tragique ». Voilà qui éclaire les intentions qu'avait, quelques années plus tôt, l'auteur des *Justes*. Cette pièce ne se propose-t-elle pas avant tout « l'expression tragique d'un déchirement intérieur » ?

1. L'expression est de Roger Quilliot.
2. Cf. *Théâtre, récits, nouvelles*, Pléiade (p. 1701-1711).

Retenons enfin que, dans un « Gros plan » télévisé, le 12 mai 1959, donc peu de temps avant sa mort, Camus a une nouvelle fois affirmé sa prédilection pour le théâtre, lieu où il jouit, dit-il, du plus grand bonheur, lieu propre à la communication, mais aussi « lieu de vérité ».

CAMUS ET LA RUSSIE

● *Le décor*

Fils de l'Algérie, Camus choisissait tout naturellement pour ses œuvres un cadre méditerranéen. Parfois, cependant, il a été attiré par un climat différent. Privé du soleil et des plages, Camus donne aux œuvres qui se déroulent dans les pays du Nord ou de l'Est une tension qui touche au désespoir. Tel le récit plus ou moins autobiographique, *La mort dans l'âme* [1], qui évoque un séjour à Prague; telle la pièce *Le malentendu* qui a pour décor une auberge, en Europe centrale; telle aussi *La chute*, monologue glacé que fait entendre Clamence à Amsterdam.

Les justes font partie de ce « cycle froid ». Il s'agit cette fois de la Russie, terre lointaine pour un homme du Maghreb. Mais l'histoire et la littérature de ce pays ont exercé sur Camus un attrait particulier.

● *L'agitation révolutionnaire*

Passionnément intéressé par les problèmes politiques, moraux et philosophiques que posent les révolutions, Camus a rencontré ses « Justes » tandis qu'il préparait *L'homme révolté*. Tout un chapitre de cet essai, intitulé « Le terrorisme individuel », est consacré à une étude du nihilisme et des mouvements révolutionnaires qui ont travaillé la Russie durant le XIXe siècle et le début du XXe, des « décembristes » à Bakounine, de Bielenski à Pisarev et à Netchaiev, d'Herzen à Lénine. La pièce intitulée *Les justes* est la dramatisation de faits réels. Nous indiquerons, en étudiant la genèse de cette œuvre, quelques-uns des nombreux textes que Camus a lus à par-

---

1. In *L'envers et l'endroit* (Gallimard, réédit. 1958) (p. 81-102).

tir de 1947 pour se documenter et qui lui ont donné une connaissance très sûre de ces organisations terroristes par lesquelles il semble fasciné, tout en les jugeant dangereuses et parfois abominables.

• Dostoïevski

Mais l'intérêt que Camus porta à la Russie était essentiellement centré sur Dostoïevski. Le caractère presque paradoxal de l'admiration qu'il vouait au romancier russe est souligné par J. Madaule, surpris « qu'un enfant de la Méditerranée comme lui ait reçu leçon de ce Scythe, de ce Cimmérien que fut incontestablement Dostoïevski [1] ». Cette admiration, Camus l'a proclamée dans la « Prière d'insérer » qui précède son adaptation des *Possédés*, et aussi dans divers articles. C'est ainsi qu'il a donné au premier numéro de la revue *Spectacles* (1er mars 1958) une page consacrée à « Dostoïevski prophète du XXe siècle », évoquant l'ébranlement considérable qu'avait provoqué en lui la rencontre du grand romancier. De fait, depuis le rôle d'Ivan Karamazov joué par Albert Camus encore étudiant, jusqu'aux *Possédés*, qu'il fit représenter un an à peine avant sa mort, sa pensée et son œuvre sont nourries de celui qui fut pour lui un maître : *Le mythe de Sisyphe* et *l'homme révolté* lui font une large place (avec une insistance particulière sur le personnage d'Ivan). *La chute* fait penser à *L'homme souterrain* et Caligula n'est pas sans analogie avec Stavroguine. Quant aux *Justes*, ce n'est pas seulement parce que la pièce se déroule en Russie qu'elle nous oriente elle aussi vers Dostoïevski; les références peuvent être précisées : les « possédés », ou plutôt les « démons », sont des « injustes », et un d'entre eux, Pierre Verkhovensky, annonce le Stépan des *Justes*. La réticence à tuer des innocents en même temps que la victime visée rappelle le double meurtre de Raskolnikof qui, dans *Crime et châtiment*, se voit obligé, à contrecœur, de tuer la sœur de l'usurière après avoir assassiné cette dernière. Mais c'est une fois de plus à Ivan Karamazov que nous renvoient particulièrement certains problèmes abordés

---

1. In *La table ronde*, N° spécial sur Camus, février 1960, J. MADAULE : *Camus et Dostoïevski*.

par les « justes », et surtout la paralysie qui saisit Kaliayev quand il s'aperçoit que les neveux du grand-duc risquent d'être tués par sa bombe : on se rappelle la longue conversation entre Aliocha et Ivan, au livre V des *Karamazov* : La souffrance d'un enfant est insupportable à Ivan, au point de l'empêcher d'accepter l'existence de Dieu. C'est une enfant aussi que Stavroguine avait souillée, cette petite Matriocha dont la vision insoutenable ne cesse de le hanter. On peut penser qu'une même obsession eût tourmenté Kaliayev, s'il avait causé la mort des petits princes.

Certes, *Les justes* serrent de près les faits, qui se sont déroulés historiquement à la manière dont Camus les rapporte. Mais un auteur peu familier de Dostoïevski ne leur eût sans doute pas donné le même éclairage.

CAMUS ET LA POLITIQUE

Si *Les justes* ne sont à proprement parler ni une pièce historique ni une pièce politique, l'œuvre n'en reflète pas moins les préoccupations d'un homme qui s'est constamment posé le problème de l'injustice, de la révolte et de la violence.

• *La jeunesse algérienne*

Camus avait une vingtaine d'années quand il adhéra au Parti Communiste, qu'il devait d'ailleurs quitter au bout de peu de temps (une incertitude demeure en ce qui concerne les dates). Il resta un homme « de gauche », comme en témoigne sa collaboration au journal de Pascal Pia, *Alger républicain*. Ses chroniques judiciaires y sont remarquées (affaire Hodent, affaire El Okbi, affaire des incendiaires d'Auribeau). Dans tous ces cas, Camus stigmatise l'esprit colonialiste et, à propos de la dernière affaire, il écrit quelques phrases que l'auteur des *Justes* n'eût pas reniées : « L'injustice, Monsieur le Gouverneur, ne souffre pas de retard. Elle crie dès l'instant où elle apparaît. Quant à ceux qui l'ont une fois entendue, ils ne peuvent plus s'en séparer, et ceux même qui n'y sont pour rien se sentent désormais responsables. »

L'activité du jeune Camus dans le journalisme à orientation politique n'est pas négligeable. Le ton est souvent polémique. Citons par exemple son enquête sur la misère en Kabylie, qui fit date [1].

• *La période de la Résistance et de « Combat »*

Le mouvement de résistance « Combat » et le journal (d'abord clandestin) édité sous le même nom fournirent à Camus, de novembre 1943 à janvier 1945, un moyen d'action et une tribune. La libération de Paris, l'épuration (à propos de laquelle il eut une vive controverse avec Mauriac), la réaction à la bombe d'Hiroshima, autant de thèmes qui inspirent à Camus des articles souvent tendus et passionnés. La résistance à l'occupant l'avait en outre amené à réfléchir de façon directe et personnelle au meurtre politique. « Il nous a fallu tout ce temps, écrit-il dans la première *Lettre à un ami allemand*, pour aller voir si nous avions le droit de tuer des hommes, s'il nous était permis d'ajouter à l'atroce misère du monde [2] ».

A mesure que passent les années, après la Libération, la vanité de ses efforts apparaît à Camus. Il croit de moins en moins à la possibilité d'assainir l'atmosphère politique et s'éloigne de *Combat*, n'y écrivant plus que de façon épisodique, par exemple pour protester, en mars 1947, contre la répression à Madagascar. La politique devait bientôt lui réserver d'autres déceptions.

• *Le conflit avec Sartre. La tragédie algérienne*

Nous avons évoqué plus haut les déchirements et scissions que provoquèrent, dans les années 50, les appréciations sur la Russie soviétique. A partir de la publication de *L'homme révolté*, les rapports entre Camus et Sartre se dégradèrent, et la rupture fut consommée en août 1952. Déçu et amer, Camus ne renonça pas, néanmoins, à toute intervention, et c'est toujours en faveur de la « justice » qu'il entendait prendre position : qu'il s'agît des communistes grecs condamnés à mort (mars 1949), de l'admission de l'Espagne franquiste à l'UNESCO (en novembre 1952, Camus démissionna de

---

1. Juin 1934. Ce reportage est largement reproduit dans *Actuelles III*, « Chroniques algériennes » (Gallimard, 1958).
2. Éd. Gallimard, 1948, p. 27-28.

cet organisme), des émeutes de Berlin-Est en 1953, de la révolte à Budapest en 1956. Mais c'est la guerre d'Algérie qui lui causa la plus grande tristesse, en aggravant le sentiment d'impuissance dont il souffrait depuis plusieurs années. Son « Appel à la trêve civile », lancé à Alger en 1956, fut un échec total. Français d'Algérie, Camus suscita l'hostilité chez les nationalistes des deux bords.

On voit que la politique fut à la fois une passion et un tourment pour l'auteur des *Justes*, celui que ses adversaires appelèrent, par la plume de Simone de Beauvoir, « un juste sans justice ». La pièce qu'il consacre au terrorisme russe en 1905 prend des résonances plus émouvantes quand on la replace au cœur des préoccupations politiques de son auteur, et quand on pense aux excès que le terrorisme devait entraîner en Algérie, une dizaine d'années après que furent écrits *Les justes*. Une phrase de l'avant-propos des *Chroniques algériennes* [1] fait écho aux scrupules de Kaliayev : « Quelle que soit la cause que l'on défend, elle restera toujours déshonorée par le massacre aveugle d'une foule innocente où le tueur sait d'avance qu'il atteindra la femme et l'enfant. »

1. Éd. Gallimard, 1958, p. 17.

3 | Autour des *Justes* : quelques thèmes majeurs

Répondant à J.-C. Brisville qui lui demandait en 1953 quels étaient ses dix mots préférés, Camus répondit : « Le monde, la douleur, la terre, la mère, les hommes, le désert, l'honneur, la misère, l'été, la mer ». On pourrait y ajouter le mot « justice », dont l'importance dans la vie et l'œuvre de Camus est déjà apparue et nous apparaîtra mieux encore dans la suite de cette étude; et aussi le mot « vérité », qui eut tant d'importance pour cet agnostique. N'alla-t-il pas jusqu'à écrire dans sa préface à l'édition universitaire américaine de *L'étranger* qu'on ne se tromperait pas beaucoup en lisant dans ce récit « l'histoire d'un homme qui, sans aucune attitude héroïque, accepte de mourir pour la vérité »?

De fait, Camus usa beaucoup, et peut-être abusa, de ces mots abstraits dont on peut regretter qu'ils n'aient jamais été suffisamment définis par lui [1]. Le goût des entités, des termes universels employés de façon parfois sibylline ou emphatique n'a pas peu contribué à fixer le visage d'un Camus moralisateur - « morale de Croix-Rouge », raillait Francis Jeanson [2]. Il est nécessaire de dépasser l'irritation que peut causer le style parfois guindé d'Albert Camus. L'étude des grands thèmes qui ont sollicité sa réflexion, si elle est faite sans malveillance, force la sympathie. Aussi bien, tous ces thèmes se regroupent, comme en un faisceau, dans *Les justes*.

---

1. C'est ce que fait remarquer SERGE DOUBROVSKY, dans un article intitulé *La morale d'Albert Camus*, publié dans *Preuves*, octobre 1960, Nº 16.
2. Dans *Les temps modernes* (mai 1952).

LA JUSTICE

Dans un article du *Monde* paru le surlendemain de la mort de Camus (6 janvier 1960), sous le titre « Camus homme de théâtre », P.-A. Touchard écrivait, à propos des adaptations théâtrales de Camus : « Partout on y retrouve l'écho de cette même angoisse noble et frémissante qui fit de Camus le témoin le plus sensible d'une époque où, de tous les problèmes, celui de la justice s'imposa de la façon la plus obsédante. » D'une étude publiée un peu plus tard par P. Ginestier, et consacrée aux principaux thèmes de la pensée camusienne, nous retenons encore la remarque suivante, à propos de la justice : « Le mot revient souvent sous la plume de Camus et la notion est, peut-on dire, un des pivots les plus importants de sa pensée [1]. » Mais rien ne saurait remplacer la voix même de Camus qui, d'œuvre en œuvre, tente d'élucider cette notion et de chercher comment la rendre active et efficace dans le monde moderne. Que faire à présent pour l'homme ? se demande-t-il au cours de la guerre, quand il commence à rédiger ses *Lettres à un ami allemand :* et il répond déjà : « C'est donner sa chance à la justice qu'il est le seul à concevoir. » « J'ai choisi la justice pour rester fidèle à la terre », affirme-t-il encore à son correspondant (*Première lettre*, p. 74), reconnaissant que ce « goût violent de la justice s'impose à lui non pas de façon raisonnable, mais comme « la plus soudaine des passions » (p. 72). La guerre, que certains ont vécue comme une sorte de croisade, est sur le point de se terminer. Camus, le jour de la libération de Paris, publie dans *Combat* un brillant éditorial dans lequel il affirme : « Le Paris qui se bat ce soir veut commander demain. Non pour le pouvoir, mais pour la justice. » Les écrits de Camus pendant cette période (un grand nombre d'entre eux est reproduit dans *Actuelles II*) sont scandés d'une manière presque obsessionnelle par ce mot de « justice » qui, à Camus, tient lieu de foi. Aussi bien, c'est le sentiment de la justice qui anime « l'homme révolté », soucieux d'opposer « le principe de justice qui est en lui au principe d'injustice qu'il voit

1. P. GINESTIER, *Pour connaître la pensée de Camus* (Bordas, 1964, p. 160).

dans le monde [1] ». Véritable foi, disons-nous, puisque Camus écrit un peu plus loin : « Il faut bâtir le seul royaume qui s'oppose à celui de la grâce, celui de la justice [2]. »

Mais Camus n'ignore pas les ambiguïtés de la justice. « L'endroit » en est pur, « l'envers » en est parfois effrayant, car la justice peut se transformer « en cette terrible passion abstraite qui a mutilé tant d'hommes [3] ». Camus ne se dissimule pas que nombre de crimes ont été commis au nom de la justice. Elle peut satisfaire la liberté individuelle comme s'y opposer. Elle trouve sa source dans l'amour, mais parfois passe par la haine. Elle est respect de la créature, mais il arrive qu'elle détruise des créatures et remplace un despotisme par un autre. C'est cette peur des excès qui a amené Camus à prononcer à Stockholm, au moment du prix Nobel, la fameuse phrase sur laquelle on a tant glosé : « Je crois à la justice, mais je défendrai ma mère avant la justice. » Aussi bien, nous le verrons, Camus défend, à côté de la justice, d'autres valeurs parfois menacées par la justice même. En outre, ce méditerranéen qui se présente, à la fin de *L'homme révolté*, comme citoyen d'Ithaque, a le sens de la mesure, des limites. Or la violence aveugle des révolutionnaires et la tentation du nihilisme à laquelle ils succombent trop souvent, les égarent et leur font dépasser ces frontières. Il faut lire ici le dernier chapitre de *L'homme révolté*, intitulé « La pensée de midi ». C'est alors que prend tout son sens l'épigraphe aux *Lettres à un ami allemand*, empruntée à Pascal : « On ne montre pas sa grandeur pour être à une extrémité, mais bien en touchant les deux à la fois. »

1. *L'homme révolté* (Gallimard, « Idées », p. 40).
2. *Ibid.*, p. 129.
3. L'éditorial de *Combat* dont nous extrayons cette phrase a paru le 22 novembre 1944, et est reproduit dans *Actuelles II*, Gallimard, 1953. On trouvera la phrase citée p. 41.

LA VIOLENCE

Une des « extrémités » de la justice, c'est précisément la violence, une violence dont Camus est le premier à savoir qu'elle est parfois inévitable. Dans l'éditorial historique qu'il a écrit pour *Combat* le 24 août 1944 et que nous avons déjà cité plus haut, n'écrivait-il pas : « Les barricades de la liberté, une fois de plus, se sont levées. Une fois de plus, la justice doit s'acheter avec le sang des hommes » ? Cette violence que Camus a connue au sein de la Résistance, il l'a retrouvée en étudiant l'histoire de la Russie dans les dernières décades du tsarisme; il l'a retrouvée lors de cette guerre d'Algérie qui lui a causé une douleur quasi viscérale : « J'ai toujours condamné la terreur, déclara-t-il en décembre 1957 à Stockholm. Je dois condamner aussi un terrorisme qui s'exerce aveuglément dans les rues d'Alger, et qui un jour peut frapper ma mère ou ma famille. »

La violence a sa place aussi dans la production littéraire de Camus. Il n'est presque aucune de ses œuvres d'où le meurtre soit absent : Patrice Mersaut tue Zagreus dans *La mort heureuse* [1], Meursault, dans *L'étranger*, tue un Arabe et est à son tour condamné à mort. Caligula commet des meurtres en série, de même que l'aubergiste du *Malentendu*, assistée par sa fille dans cette sinistre besogne. Clamence, le héros de *La chute*, laisse une femme se noyer. Enfin, le meurtre a encore sa place dans les deux adaptations théâtrales les plus célèbres de Camus, *Les possédés* (d'après Dostoïevski), où sont assassinés Chatov et Lisa, tandis que Kirilov et Stavroguine se suicident; et *Requiem pour une nonne* (d'après Faulkner), où la négresse Nancy Mannigoe étrangle un enfant puis est elle-même exécutée : on a tellement édulcoré l'œuvre et la pensée de Camus (certains ne voient-ils pas en lui une sorte de moraliste pour patronages ?) qu'on est presque surpris d'être amené à recenser une telle succession de crimes.

Ainsi, l'homme est, aux yeux de Camus, tantôt victime, tantôt bourreau; souvent à la fois victime et bourreau. On ne saurait assez souligner l'importance des articles publiés par *Combat* en novembre 1946 sous le titre « Ni victimes ni bourreaux » et repris dans *Actuelles II* [2].

---

1. Roman ébauché par le jeune Camus. Publication posthume chez Gallimard en 1971.
2. Éd. Gallimard, 1953, p. 139 à 178.

LE RESPECT DE LA VIE

Si le meurtre est tellement choquant, si les bourreaux sont tellement abominables, c'est parce que la vie est la valeur essentielle. Les premiers héros de Camus (Meursault, Caligula, Martha) faisaient preuve d'une parfaite indifférence à la mort d'autrui. Mais Camus a surmonté cette logique nihiliste issue de l'absurde et l'on ne risque guère de se tromper en supposant que son évolution fut semblable à celle de Tarrou [1]. On se rappelle que celui-ci avait quitté le foyer de ses parents après avoir entendu son père, avocat général, requérir la peine de mort contre un accusé. Or le dernier ouvrage publié par Camus en 1957, en collaboration avec Koestler, est consacré à *La peine capitale* [2]. Tarrou s'était ensuite engagé dans la politique et il s'effrayait des condamnations que prononçait le parti auquel il avait adhéré. « Mais on me disait que ces quelques morts étaient nécessaires pour amener un monde où l'on ne tuerait plus personne [3] ». Peut-être Kaliayev eût-il prononcé la même phrase s'il avait survécu à son aventure... Au cours de la même période, Camus écrit dans ses *Carnets :* « Le seul problème moral vraiment sérieux, c'est le meurtre », phrase qui fait écho au début du *Mythe de Sisyphe :* « Il n'y a qu'un problème philosophique vraiment sérieux, c'est le suicide. »

Rien n'est donc à la fois plus difficile et plus important que le respect de la vie, en soi et chez autrui. A tout instant nous risquons d'agir à l'encontre de ce principe : « J'ai simplement aperçu, dit Tarrou, que nous ne pouvions pas faire un geste en ce monde sans risquer de faire mourir [4]. » Et encore : « A partir du moment où j'ai renoncé à tuer, je me suis condamné à un exil définitif [5]. » « Faire mourir » ou « renoncer à tuer », tel est le dilemme qui déchire Kaliayev. Tarrou nous apparaît alors comme un Kaliayev plus âgé, que l'engagement politique eût entraîné moins loin.

---

1. Personnage de *La peste*.
2. Calmann-Lévy.
3. *La peste* (Livre de poche, p. 274).
4. *Ibid.*, p. 276.
5. *Ibid.*, p. 278.

INNOCENCE ET CULPABILITÉ

« Quand j'étais jeune, dit encore Tarrou dans la longue confession à laquelle nous nous sommes déjà référés, je vivais avec l'idée de mon innocence, c'est-à-dire avec pas d'idée du tout [1] ». A quoi fait écho, une dizaine d'années plus tard, cette phrase que prononce Clamence dans *La chute* : « Nous ne pouvons affirmer l'innocence de personne, tandis que nous pouvons affirmer à coup sûr la culpabilité de tous [2]. » Entre ces deux textes, l'œuvre de Camus ne cesse de confronter « innocence » et « culpabilité » : Deux pôles entre lesquels est écartelée la conscience des hommes, mais aussi deux domaines contigus entre lesquels il est difficile de tracer une frontière : Les mains pures deviennent vite des mains sales. « Chacun la porte en soi, la peste, parce que personne, non, personne au monde n'en est indemne [3] ». Y a-t-il là chez Tarrou un relent inconscient de croyance au péché originel ? En tous cas, une fois de plus, Tarrou nous paraît bien faire partie de l'univers des « justes », lui qui se propose le dessein contradictoire d'être « un meurtrier innocent [4] ».

Finalement, en ce monde souillé, seuls les enfants sont innocents ; et c'est pourquoi leur douleur et leur mort paraissent à Camus aussi scandaleuses qu'à Ivan Karamazov. Max-Pol Fouchet rapporte la réaction de Camus alors que, âgé de dix-huit ans, à Alger, il avait vu un petit Arabe écrasé par un autobus : « Il me montra le ciel de la main, le ciel impassible, et il me dit : « Tu vois, il se tait [5]. » Plus tard, lors d'un exposé fait en 1948 au couvent des dominicains de La Tour-Maubourg, Camus affirme : « Je partage avec vous la même horreur du mal, mais je ne partage pas votre espoir, et je continue à lutter contre cet univers où des enfants souffrent et meurent [6]. » La même année, interviewé par un journaliste, Camus lui répond : « Il y a la mort des enfants, qui signifie l'arbitraire divin, mais il y a aussi la mort des

---

1. *La peste*, p. 270.
2. *La chute* (Livre de poche, p. 119).
3. *La peste*, p. 277.
4. *Ibid.*, p. 278.
5. MAX-POL FOUCHET, *Un jour, je m'en souviens*, Mercure de France, 1968 (p. 21)
6. *Actuelles II* (Gallimard, 1953, p. 213).

enfants, qui signifie l'arbitraire humain [1] ». C'est encore un « enfant » (Camus le désigne par ce mot, bien qu'il ait seize ans), qui lui donne l'occasion de souligner, en terminant la seconde des *Lettres à un ami allemand*, l'horreur exceptionnelle que comportent la souffrance et la mort d'un être jeune et innocent [2]. Citons enfin ces paroles que, adaptant *Requiem pour une nonne*, Camus met dans la bouche de Nancy Mannigoe : « Vous ne savez pas que les petits enfants ne doivent pas avoir honte, ni peur. C'est de ça, seulement de ça, qu'il faut les protéger. Tous, ou tous ceux qu'on peut. Un seul même, si on n'arrive pas à mieux. Mais faire tout ce qu'il faut pour celui-là [3]. »

Nul doute qu'on ne trouve là une des raisons qui ont orienté Camus vers Kaliayev : La réticence à lancer la bombe parce que les neveux du grand-duc étaient dans la calèche témoigne pour la pureté de cœur de ce terroriste.

LE BONHEUR SUR LA TERRE

Le bonheur est une des valeurs fondamentales pour Camus. « J'ai envie de vivre et d'être heureux », dit Cherea dans *Caligula*, ajoutant : « Je suis comme tout le monde. » Mais Caligula, lui, avait découvert que « les hommes meurent et ne sont pas heureux ». Ce besoin fondamental d'un bonheur que l'univers ne satisfait pas donne à maintes pages de Camus leur vibration émouvante. Le héros de *La mort heureuse* affirme : « L'exigence du bonheur me paraissait ce qu'il y a de plus noble au cœur de l'homme [4]. » Et encore : « Ne renonce jamais, Catherine. Tu as tant de choses en toi, et la plus noble de toutes, le sens du bonheur [5]. »

Ce bonheur, il faut le trouver, le réaliser « hic et nunc ». Camus n'est pas de ceux qui minimisent le présent au profit d'un avenir hypothétique et, sur ce point, il fait le même reproche au marxisme qu'au christianisme. Quand s'achève l'existence limitée de l'individu, tout est fini pour lui. Aussi,

---

1. *Actuelles II* (Gallimard, 1953, p. 225).
2. Cf. *Lettres à un ami allemand* (p. 42 à 46).
3. *Requiem* (II⁰ partie, 5⁰ tableau).
4. *La mort heureuse* (Gallimard, p. 76).
5. *Ibid.*, p. 155.

pas plus que Meursault, Kaliayev n'acceptera-t-il, dans sa prison, d'entendre « la bonne parole », et il pourrait faire sienne cette affirmation qu'on lit dans *Lettres à un ami allemand :* « Je crois pouvoir dire que, pour des hommes que l'on va tuer, une conversation sur la vie future n'arrange rien. Il est très difficile de croire que la fosse commune ne termine pas tout [1]. »

Malgré les références chrétiennes contenues dans l'œuvre de Camus, malgré l'intérêt porté par lui à saint Augustin du temps de ses études supérieures de philosophie, malgré la boutade de F. Jeanson prétendant que Dieu occupait Camus « infiniment plus que les hommes », l'auteur de *Noces*, du *Mythe de Sisyphe* et de *La peste* semble avoir éprouvé à l'égard de la religion une sorte d'allergie.

Reste donc ce bonheur sur la terre, ce bonheur si indispensable que la Justice même, tant vantée par Camus, perdrait sans lui sa raison d'être : « Que serait la justice sans la chance du bonheur ? » (*Actuelles I*, p. 91). Mais, ce cri, les « justes » le répéteraient en vain. Ils doivent faire taire leurs nostalgies comme leur besoin de joie et d'amour. Dans *L'homme révolté*, auquel il travaille en même temps qu'à sa pièce, Camus remarque : « (Les hommes) aiment le plaisir et le bonheur immédiat : il faut leur apprendre à refuser, pour se grandir, le miel des jours. » Phrase à laquelle fait écho celle que prononce Rambert dans *La peste :* « Rien au monde ne vaut qu'on se détourne de ce qu'on aime. Et pourtant, je m'en détourne moi aussi, sans que je puisse savoir pourquoi. » Certes, à la fin du roman, Rambert retrouve la femme qu'il aimait. Mais Rieux a perdu la sienne, et que de cœurs auront été endeuillés ! Ni dans *La chute*, ni dans les nouvelles qui composent *L'exil et le royaume*, ni dans les adaptations des *Possédés* ou de *Requiem pour une nonne*, le bonheur ne trouve sa place. A peine une mince lumière ici ou là. Cet homme qui aima tant la vie laisse finalement une œuvre plutôt sombre. On verra que le sentiment du bonheur impossible ronge progressivement l'exaltation des « justes », et conduit Dora, comme Kaliayev, au seuil de la mort.

---

1. *Lettres à un ami allemand* (p. 42).

Il n'est aucun des grands thèmes chers à Camus, on le voit, qui ne dût trouver soit un écho soit un épanouissement dans *Les justes*. Il nous reste à préciser où et quand se déroulèrent les événements qui lui ont fourni l'action et les personnages de sa pièce.

Autour des *Justes* : le milieu et le moment $\boxed{4}$

UN CERTAIN CLIMAT : ANARCHISME ET TERRORISME

La seconde moitié du XIXe siècle et le début du XXe ont été traversés par des courants d'idées puissants et parfois désordonnés, inspirés par la volonté de mettre fin au paupérisme et à l'humiliation des opprimés. Ce n'est pas le lieu ici d'introduire une étude sur les mouvements socialistes de cette époque. Bornons-nous à citer le nom de deux libertaires qui, en réaction contre un marxisme qu'ils accusaient de faire une trop grande place à l'État et de négliger la spontanéité des masses, prônèrent un anarchisme volontiers, chez le premier surtout, assorti de violence : Il s'agit de Bakounine et de Kropotkine.

A la fois cause et effet de la fascination exercée par l'anarchisme, l'attentat terroriste connut alors, si l'on peut dire, une vogue extraordinaire. Coquetterie d'une élite blasée ? Séquelles du romantisme ? Séduction exercée par l' « acte gratuit » ? Un Ravachol, dont les crimes sont perpétrés au nom de l'athéisme, un Vaillant, qui blessa 80 personnes au Palais-Bourbon en y lançant une bombe le 9 décembre 1893, arrivèrent à passer pour des martyrs après leur condamnation à mort.

Mais c'est vers la Russie qu'il faut particulièrement nous tourner pour trouver, dans le nihilisme, la source du crime anarchiste. Le terroriste russe Karakazov avait ouvert la série des attentats retentissants en faisant feu contre le tsar Alexandre II en 1866. Dans le même temps, le célèbre Bakounine, que nous citions un peu plus haut, se faisait le théoricien de la lutte violente, exaltant « la destruction de ce qu'on appelle l'ordre public », affirmant que « la volupté de la destruction est en même temps une volupté créatrice ». En 1869, Bakounine rédigea un *Catéchisme révolutionnaire* [1] dans lequel on peut lire : « Le révolutionnaire n'a ni intérêts personnels, ni affaires, ni sentiments, ni attachement, ni propriété, ni même nom. Tout en lui est absorbé par un seul intérêt exclusif, une seule pensée, une seule passion : « La Révolution ». Et encore : « Notre affaire, c'est la destruction effrayante, totale, implacable, universelle. » En lisant ces lignes, on voit se profiler le personnage de Stepan dans *Les justes*; mais aussi celui du Pierre Verkhovensky des *Possédés*, à qui Camus fait dire, dans l'adaptation théâtrale du roman de Dostoïevski : « Nous détruirons tout. Nous ne laisserons pas pierre sur pierre. »

Ce « catéchisme », Bakounine l'avait remis à un certain Netchaiev, qui allait entraîner définitivement l'anarchisme dans la voie de la violence [2]. Fondateur de la « Société de la Hache », meurtrier de l'étudiant Ivanov, Netchaiev peut revendiquer comme titre de gloire d'avoir inspiré à Dostoïevski un des grands thèmes de ses *Possédés* et Camus lui consacre plusieurs pages dans *L'homme révolté* [3]. On trouvera aussi, dans ce même livre de Camus, une énumération des principaux attentats qui ont ébranlé l'Europe pendant un quart de siècle : Citons, en 1881, le meurtre du tsar par les terroristes de la Volonté du peuple; en 1883, un attentat contre l'empereur d'Allemagne; en 1894, l'assassinat de Sadi Carnot, Président de la République Française; en 1898, celui de l'impératrice Élisabeth d'Autriche; et, si nous portons nos regards au-delà de l'Europe, en 1901, celui de Mac Kinley, président des USA. La dynamite éclate, en cette prétendue « belle époque », et la Russie, écrasée par un régime autocrate qui ne laisse aucune soupape de sûreté, est particulièrement touchée.

L'ANNÉE 1905 EN RUSSIE

Sans en avoir une claire conscience, le tsar Nicolas II entrait, au début du XXᵉ siècle, dans une période fort sombre. L'industrialisation de son pays amenait en masse, dans les villes, des

---

1. Le texte en a été reproduit dans la revue *Le contrat social*, numéro de mai 1957.
2. Peut-être est-ce Netchaiev qui a inspiré ce catéchisme rédigé par Bakounine.
3. Gallimard, Coll. « Idées », p. 195 à 200.

campagnards qui s'adaptaient mal. Les conditions de travail, qui souvent dataient du servage, y étaient effrayantes. C'est un terrain d'élection pour les révolutionnaires dont les uns, dirigés par Oulianov, plus connu sous le nom de Lénine, préconisent la constitution d'un parti révolutionnaire centralisé et discipliné, et dont les autres défendent une forme de socialisme slave et se font les avocats de l'anarchisme et du terrorisme. Les premiers sont quelque peu affaiblis par la scission qui s'est produite en 1903 entre mencheviks et bolcheviks, et leurs chefs résident presque toujours à l'étranger. Les seconds, toujours prêts à pratiquer la « propagande par le fait », qui s'est déjà, on l'a vu, proposé tant de cibles dans les hautes sphères, peuvent revendiquer un nouveau meurtre, celui du ministre Plehve, déchiqueté dans une rue de Moscou le 15 juillet 1906 par une bombe [1].

Les échecs subis dans la guerre avec le Japon (capitulation de Port-Arthur, décembre 1904) aggravent la situation. C'est alors, le 22 janvier 1905, le fameux « dimanche sanglant » : une foule de manifestants qui se rendaient au Palais du souverain pour lui présenter une pétition est brutalement décimée. La plupart des historiens s'accordent pour considérer que ce fut là une rupture soudaine et définitive entre le tsar et son peuple.

On peut parler dès lors de « révolution de 1905 » : L'attentat contre le grand-duc Serge en février [2], les grèves de plus en plus nombreuses et importantes, la création des premiers soviets ouvriers, la mutinerie du cuirassé Potemkine le 14 juin, l'assassinat du comte Skouvatov, gouverneur militaire de Moscou, en juillet, l'agitation dans les universités, autant d'événements qui marquent cette année terrible. Si le tsar est obligé de renoncer officiellement à l'absolutisme, une dure répression n'en met pas moins fin à l'agitation d'un pays qui semble s'enfoncer dans le chaos, en particulier quand les ouvriers de Moscou se soulèvent en masse durant le mois de décembre 1905.

---

1. Rappelons quelques-uns des attentats qui se sont produits dans les premières années du XXᵉ siècle : le ministre Bogolepov assassiné en février 1901 ; le ministre de l'Intérieur Sipiaguine tué par un étudiant en avril 1902 ; le gouverneur d'Oufa assassiné en 1903.
2. C'est le sujet des *Justes*.

LES « MEURTRIERS DÉLICATS »

Ce sont précisément ces révolutionnaires de 1905 qui attirent la sympathie de Camus, lui que scandalisent pourtant l'amoralisme d'un Bakounine et le fanatisme d'un Netchaeiv. Il a lu les *Mémoires d'un Terroriste*, de Boris Savinkov. Il s'est penché sur le personnage de Kaliayev qui lança la bombe contre le grand-duc Serge, le 17 février 1905 [1]. Un article publié dans *La table ronde* en janvier 1948, sous le titre « Les meurtriers délicats [2] » et repris, sans modifications importantes, dans *L'homme révolté* [3], témoigne de l'intérêt suscité chez Camus par ces hommes et ces femmes, issus, bien sûr, du nihilisme, et qui furent, si l'on veut, des assassins, mais qui semblent avoir connu plus de scrupules que les terroristes des années antérieures ou les révolutionnaires des années suivantes. Camus s'est soigneusement renseigné sur Kaliayev, que ses amis appelaient « le poète »; sur Dora Brilliant, dont il fera Dora Doulebov; sur Boris Savinkov, dont il a lu les *Mémoires*, et qui lui inspirera le personnage d'Annenkov; sur Voinarovski, qui deviendra dans sa pièce Voinov. Ce sont des êtres « d'exigence », partagés entre la nécessité de tuer et le caractère inexcusable du meurtre, coupables qui aspiraient à la mort pour retrouver leur innocence. Nul d'entre eux n'était atteint de ce que Camus appelle « le chigalévisme », cette doctrine cynique du « tout est permis », qui a pour patron Chigalev, un personnage des *Possédés*, à qui Camus fait dire, dans son adaptation théâtrale du roman : « Partant de la liberté illimitée, j'aboutis au despotisme illimité. » Ilot de pureté et de justice parmi toutes ces tendances anarchistes et implacables, les terroristes de 1905 ont droit à l'amitié et à la compassion de Camus qui affirme : « 1905, grâce à eux, marque le plus haut sommet de l'élan révolutionnaire. » Ils méritent, à ses yeux, d'être appelés des « justes ».

---

1. Cet attentat semble avoir été une réponse au tsar, qui s'était contenté, après le « dimanche rouge », de recevoir de façon paternaliste une délégation d'ouvriers triés sur le volet.
2. Cf. *infra* : Genèse de la pièce.
3. Gallimard, Coll. Idées, p. 200-210.

QUELQUES OMBRES ILLUSTRES

On a vu que, malgré l'horreur qu'ils suscitèrent, les attentats anarchistes n'en exercent pas moins une sorte de fascination. C'est qu'ils bénéficient du halo d'héroïsme qui a de tout temps entouré le crime politique, et l'a souvent fait excuser. Guillaume Tell, meurtrier de Gessler, est devenu le héros national des Suisses ; Charlotte Corday s'est fait un nom en poignardant Marat. Brutus, l'assassin de César, est un des héros de Plutarque. Confondu avec l'autre Brutus qui, cinq siècles plus tôt, chassa les Tarquins, il hante les rêves de Lorenzaccio, avide à son tour de s'accomplir par le meurtre d'un tyran. Que Musset n'ait été ni un des auteurs favoris de Camus, ni un de ses modèles, peu importe : son Lorenzo s'était déjà posé, comme le feront les Justes, le problème du « bonheur de l'humanité » : Est-ce un idéal réalisable, et d'un poids suffisant pour compenser les sacrifices qu'on lui fait dans le présent ? N'est-ce point un leurre ? Un mirage ? A qui connaît bien le drame de Musset (dont Gabriel Marcel disait qu'il semblait encore mieux fait pour le public de 1945 que pour celui du XIXe siècle), un rapprochement entre Lorenzaccio et Kaliayev ne semble pas arbitraire : Peut-être Kaliayev a-t-il, lui aussi, ressenti la mort de sa victime avec un « cœur navré de joie »...

Mais parmi les tyrannicides, parmi ces êtres absolus et violents que la passion politique a conduits à la terreur ou au meurtre, il nous faut aussi faire place à Saint-Just. « Il se précipite dans la Révolution comme dans l'exigence inéluctable de la morale », écrit à son sujet J.-M. Domenach, qui lui consacre plusieurs pages de son livre *Retour du tragique* [1]. Nous croyons utile de reproduire ici quelques formules de Saint-Just que cite J.-M. Domenach, et qu'on pourrait croire extraites de la pièce de Camus : « Quand tous les hommes seront libres, ils seront égaux. Quand ils seront égaux, ils seront libres. » « La justice ne peut jamais vous compromettre, mais l'indulgence doit vous perdre. » « Quoi que vous fassiez, vous ne pourrez jamais contenter les ennemis du peuple, à moins que vous ne rétablissiez la tyrannie. J'en conclus qu'il faut qu'ils péris-

---

1. Éd. du Seuil, 1967, p. 86.

sent. » Et encore : « Il y a quelque chose de terrible dans l'amour sacré de la patrie ; il est tellement exclusif qu'il immole tout sans pitié, sans frayeur, sans respect humain, à l'intérêt public ; il précipite Manlius ; il immole ses affections privées. » J.-M. Domenach constate qu'on aboutit alors à la terreur, puis à la lassitude de la terreur : « La liberté reconstitue des tyrannies plus terribles parfois que celles qu'elle avait abolies [1]. » Ce même Saint-Just, Camus l'évoquait de son côté dans *L'homme révolté* : « Mystérieuse et belle figure », mais dont la logique effroyable lui fait peur.

Dora, à l'acte III des *Justes*, gémit sur sa solitude et sur celle de ses compagnons. En vérité, une foule leur fait cortège à travers les âges, et dans cette foule, le cynique voisine avec le pur, l'être généreux avec l'être implacable. Confrontés à Saint-Just et à Brutus, à Lorenzaccio et à Charlotte Corday, à Bakounine et à Netchaiev, les héros de Camus nous semblent prendre un plus grand relief.

1. *Ibid.*, p. 19.

SOURCES ET GENÈSE DE L'ŒUVRE

Les chapitres précédents auront déjà donné quelques renseignements à ce sujet. Mais il est possible de suivre de plus près le travail de Camus, surtout en lisant le second volume de ses *Carnets* [1]. Maintes fois y reviennent les thèmes de la révolte, de la justice, de la révolution, du christianisme. L'idée d'un roman sur la justice, qui devait rassembler divers types de révolutionnaires, apparaît à la fin de l'année 1944. Un an plus tard environ, sous le titre « Tragédie », Camus évoque en phrases un peu sibyllines « le droit de tuer [2] ». Au cours de l'année 1946, Camus mentionne des lectures qu'il fait sur la Russie, et il évoque l'attentat de Karakazov contre le tsar. C'est en mai 1947 que son attention se fixe sur le personnage de Kaliayev, dont il admire « la grande pureté [3] ». Camus a été vivement intéressé par les *Souvenirs d'un terroriste*, de Savinkov, et le raisonnement d'après lequel « une vie est payée par une vie » lui paraît faux, mais respectable. « Aujourd'hui, ajoute-t-il, personne ne paye. » On voit que, dans l'esprit de Camus, la réflexion sur son époque rejoint d'emblée la réflexion sur le terrorisme russe de 1905. Mieux encore, c'est de son temps qu'il part : Choqué par la tournure qu'ont prise certains courants politiques, il a rédigé dans *Combat* les articles « *Ni victimes ni bourreaux* », et il entreprend l'œuvre de longue haleine que sera *L'homme révolté*.

1. *Carnets* **, Gallimard, 1964.
2. *Carnets* **, p. 164.
3. *Carnets* **, p. 199.

La documentation précise qu'il rassemble sur la Russie est une sorte de retour aux sources. Bientôt se précise le projet d'une pièce qui sera, pour le cycle de la Révolte, ce qu'étaient *Caligula* et *Le malentendu* pour le cycle de l'Absurde. On lit en effet dans les *Carnets* **, page 201 :

« 1re série : Absurde - *L'étranger* - *Le mythe de Sisyphe* - *Caligula* - *Le malentendu*.

2e série : Révolte - *La peste* et annexe - *L'homme révolté* - Kaliayev. »

Presque aussitôt (p. 204), Camus jette dans ses *Carnets* ** les notes suivantes : « Pièce - La Terreur - Un nihiliste - La violence partout - Partout le mensonge.

Détruire, détruire.

Un réaliste - Il faut entrer à l'Okhrana.

Entre les deux, Kaliayev - Non, Boris, non. »

Nous trouvons ensuite dans les *Carnets* ** une ébauche émouvante et belle d'un dialogue entre Yanek [1] et Dora. On voit que l'amour qui unit ces deux êtres a été presque le point de départ de cette pièce, dont l'épigraphe sera empruntée à *Roméo et Juliette :* « O love ! O life ! Not life but love in death. » Par là, nous sommes invités à voir dans *Les justes* une tragédie d'amour autant qu'une tragédie politique. Mais le titre n'a point encore été trouvé, et Camus désigne l'œuvre en gestation par le titre « Pièce Kaliayev ». C'est après cette indication qu'il note : « Impossible de tuer un homme en chair, on tue l'autocrate. Pas le type qui s'est rasé le matin, etc. [2] »

Si nous continuons à feuilleter les *Carnets* **, nous y trouvons des paroles adressées par Dora à Yanek : inquiète et lasse, la jeune femme avoue : « Nous sommes allés trop vite [3]. » Puis, c'est un court dialogue entre Yanek et « le tueur » (sans doute celui qui deviendra Stepan) et, dans la même page [4], une allusion à deux livres de David Rousset : *Jours de notre mort* et *U.C. (L'univers concentrationnaire)*. Une fois de plus, nous voyons combien s'entrecroisent chez Camus les préoccupations contemporaines, les recherches historiques, et les projets littéraires. Dès lors, dans les *Carnets* **, se multi-

1. Yanek est le prénom familier d'Ivan Kaliayev.
2. *Carnets* **, p. 207.
3. *Carnets* **, p. 210.
4. P. 214.

plient les allusions à des lectures sur la Russie : Petcherine, Bielinski, Petrachevski, Tchernischevski, Herzen, Bakounine, Netchaiev. Autant de noms, dont nous avons déjà cité plusieurs, et que nous trouvons aussi dans *L'homme révolté*. Camus recopie la fameuse phrase de Bakounine : « La passion de la destruction est créatrice [1] », et il note « l'impression de culpabilité chez les intellectuels séparés du peuple ».

Puis Camus s'interroge sur la révolution de 1917, il évoque « le communisme spirituel de Dostoïevski, il cite Berdiaev et Lukacs [2]. Il est frappé, chez certains révolutionnaires, par le renoncement total à l'individualité : « Tout membre de la " Volonté du peuple " s'engageait solennellement à consacrer ses forces à la révolution, à oublier pour elle les liens du sang, les sympathies personnelles, l'amour et l'amitié [3]. »

Pendant un moment, l'attention de Camus semble se fixer sur les femmes. Il cite l'œuvre qu'il prépare sous le titre « Pièce Dora », et il évoque plusieurs visages féminins de révolutionnaires : Sofia Perqvskaia, Vera Figuer, Maria Kolougnaia. La trahison possible, le procès qui couronne l'activité du révolutionnaire, le destin effrayant d'hommes « condamnés à être des héros et des saints », les « limites » nécessaires, autant de thèmes rapidement indiqués dans les *Carnets* ** et destinés à enrichir la pièce.

Roger Quilliot nous apprend que, dans la même période, Camus rassemblait sur ces révolutionnaires, et particulièrement sur les femmes, non seulement une documentation écrite, mais une documentation iconographique [4]. Il cite en outre le témoignage d'Emmanuel Roblès, d'après lequel Camus aurait rédigé la première scène de l'acte IV lors d'un voyage qu'il fit à Alger en 1948. Le premier état de la pièce aurait été achevé en février 1949, et le second état au mois de mai. A partir de 1948, les *Carnets* ** ne font plus mention de l'œuvre qu'assez rarement. Elle est citée sous le titre « *La corde* », au début d'un « programme » que Camus établit pour la période février-juin [5]. Retenons encore les deux indications suivantes : « Ier cycle. Depuis mes premiers livres (*Noces*) jusqu'à *La corde* et *L'homme révolté*, tout mon effort a été en réalité de me

1. *Carnets* **, p. 226.
2. *Carnets* **, p. 227-228.
3. *Carnets* **, p. 229.
4. Camus, *Théâtre, Récits, Nouvelles* (Pléiade, p. 1824).
5. *Carnets* **, p. 262.

dépersonnaliser (chaque fois sur un ton différent). Ensuite, je pourrai parler en mon nom [1]. » Puis, un peu plus loin : « Tout meurtre pour être justifié doit s'équilibrer à l'amour. L'échafaud pour les terroristes était la preuve par neuf de l'amour [2]. »

Le titre *La corde* qui pouvait paraître déplaisant a été remplacé un moment par le titre *Les innocents*, qui s'est lui aussi effacé devant le titre définitif : *Les justes*.

Parmi les lectures, nombreuses, qui ont permis à Camus de se documenter sur les mouvements révolutionnaires en Russie, il faut surtout retenir *Les mémoires d'un terroriste*, de Boris Savinkov, dont un des traducteurs, M. Lazarevitch, a en outre fourni à Camus des renseignements supplémentaires. Roger Quilliot reproduit, dans l'édition de la Pléiade, quelques pages de ces *Mémoires*, concernant Dora Brilliant, qui éclairent le personnage de Dora Doulebov [3]. Il indique également les variantes [4], attestant le soin qu'a pris Camus d'être fidèle à ses sources tout en supprimant les emprunts trop directs. Le mot « parti », pour éviter une interprétation trop actuelle, a été remplacé par « organisation ». L'acte IV a été sensiblement remanié, lors du voyage que Camus fit au Brésil entre juin et août 1949. Il semble avoir craint que la visite de la grande-duchesse à Kaliayev ne parût invraisemblable. Pourtant cette visite est authentique. Nous avons à ce sujet un précieux témoignage, postérieur de dix ans à la pièce de Camus. C'est un article écrit dans *le Figaro littéraire* du 4 juillet 1959 par Gustave Walter, qui avait été le précepteur des neveux du grand-duc Serge et qui s'était trouvé témoin de l'attentat. La relation que ce Monsieur Walter fait de l'affaire montre à quel point Camus avait été soucieux d'exactitude.

Rappelons enfin que, en janvier 1948, Camus publia dans *La table ronde* un article intitulé « Les meurtriers délicats ». Relatant les événements qui lui ont inspiré sa pièce, il met en valeur le fervent besoin de se justifier qu'éprouvaient des hommes comme Kaliayev. Le texte est repris presque mot pour mot dans *L'homme révolté* (3e partie : « Le terrorisme individuel »).

1. *Carnets **, p. 267.
2. *Carnets **, p. 294.
3. *Théâtre, Récits, Nouvelles* (Pléiade, p. 1846-1851).
4. *Ibid.*, p. 1835-1846.

On pourrait penser dès lors que *Les justes* sont une pièce historique. Camus s'en défend dans la « Prière d'insérer », précisant néanmoins : « Tous mes personnages ont réellement existé et se sont conduits comme je le dis. J'ai seulement tâché de rendre vraisemblable ce qui était déjà vrai. »

STRUCTURE ET RÉSUMÉ

• *Acte I*

Le rideau se lève sur deux personnages, puis la scène se peuple peu à peu, de telle façon que le groupe des terroristes soit au complet dès le premier tiers de l'acte.

Annenkov, le chef du groupe, en compagnie de Dora, accueille successivement Stepan, évadé du bagne, puis Voinov, qui était chargé d'un repérage topographique, enfin Kaliayev. Cette partie, qui fait office de prologue, a d'évidentes qualités dramatiques : Un climat est créé, une atmosphère de clandestinité. Les nouveaux arrivants usent d'un signal convenu. Des silences, des regards, des jeux de scène révèlent, dans un décor austère (en fait, Camus se borne à indiquer que c'est « un appartement »), la tension, l'angoisse de gens qui se cachent et qui préparent « un coup ». En outre, la personnalité de chacun d'eux se laisse très vite deviner, fût-ce par un détail ou par quelques mots : Annenkov est le chef, soucieux de la cohésion du groupe. Voinov, jeune et fougueux, semble avoir hâte d'agir. Stepan est dur, intransigeant, et il s'oppose à Kaliayev qui met de la fantaisie partout et qui a éprouvé le besoin de changer, à son usage, le signal convenu. Quant à Dora, seule présence féminine, on la sent richement douée pour l'amitié, et plus encore pour l'amour.

La suite de l'acte est occupée par la préparation de l'attentat qui doit avoir lieu le lendemain, contre le grand-duc Serge, quand il se rendra au théâtre. Kaliayev doit lancer la première bombe; Voinov, la seconde, si c'est nécessaire. Des détails indispensables sont donnés, mais tiennent assez peu de place, tandis que Camus invite déjà les spectateurs à réfléchir sur la personnalité du vrai révolutionnaire, et sur la justification du meurtre. Ces thèmes nourrissent successivement le dialogue violent qui oppose Stepan à Kaliayev, et le dialogue tendre et grave entre ce même Kaliayev et Dora à la fin de l'acte.

- ### Acte II

Dans le même décor, le lendemain, Annenkov et Dora attendent le moment où va être lancée la bombe. Ce qu'on appelle volontiers maintenant le « suspense » est très intelligemment ménagé, à tel point que le spectateur, même s'il est au courant de la suite des événements, ne peut s'empêcher de participer à cette attente. Le silence, alors que la bombe aurait dû éclater, le retour d'un Voinov éperdu, puis d'un Kaliayev en larmes, nous font connaître l'échec de l'attentat, et Stepan en donnera la raison quand il apprendra aux autres la présence de deux enfants dans la calèche : le neveu et la nièce du grand-duc. La partie la plus remarquable de cet acte est un nouveau dialogue entre Kaliayev et Stepan, dialogue au cours duquel est clairement posé le problème de la fin et des moyens. Chacun des autres personnages réagit selon sa nature : Dora, toujours prête à défendre Kaliayev qu'elle aime, s'élève contre la volonté de destruction sans limite qui anime Stepan. Annenkov (qui parle peu) cherche à maintenir le groupe dans sa droite ligne, et oriente ses camarades vers la préparation d'une nouvelle action. Voinov laisse apparaître son angoisse et son hésitation à l'idée de « recommencer ».

- ### Acte III

On pourrait craindre un piétinement, ou même une régression, puisqu'on reprend la préparation de l'attentat, et qu'on attend de nouveau sa réalisation. Mais l'état des esprits est tout autre. L'échec a fait retomber l'exaltation. Le plus touché a été Voinov. Il s'avoue « désespéré » et renonce à l'action directe ; son départ ressemble à une fuite. Kaliayev, qui se juge responsable de cette défection, se proclame « heureux » mais, pas plus que Dora, ne peut dissimuler sa tristesse. La foi dans l'action révolutionnaire semble les quitter. Ils ne renoncent pas, mais déjà cherchent au-delà. On ne saurait rester insensible en écoutant le dialogue de Kaliayev et de Dora qui, on l'a vu [1], a été le germe de la pièce. « Cœur », « tendresse »,

1. Cf. *supra*, p. 36.

« amour », « paix », tels sont les mots qui donnent à ce duo une vibration aussi puissante que discrète. En contrepoint, c'est une déclaration de haine à l'humanité que fait Stepan à la fin de l'acte. On entend alors, comme dans l'acte II, le bruit d'une calèche; puis, cette fois, c'est l'explosion. Mais, au cri de joie de Stepan répond la détresse de Dora, qui se sent responsable du meurtre.

• Acte IV

C'est un acte un peu surprenant, une sorte de parenthèse dans la pièce. Le décor, différent de celui des trois premiers actes, est une cellule de prison. Les personnages, en dehors de Kaliayev, ne nous étaient pas connus jusque-là. Le meurtrier du grand-duc, tel Polyeucte dans la tragédie de Corneille, est soumis à plusieurs tentations. D'abord, avec Foka, c'est la tentation de l'absurde : à la fois victime et bourreau, cet homme simple se voit retirer un an de prison pour chaque condamné qu'il pend. Il ne comprend rien au geste de Kaliayev, ni à son idéal révolutionnaire. Avec Skouratov, le chef de la police, c'est la tentation du cynisme. Cet homme sûr de lui, ironique, et qui ne manque pas de bon sens, se livre à un chantage : s'il passe aux aveux, on évitera que ses camarades ne croient à sa trahison; sinon, on leur laissera croire qu'il a trahi. Avec la grande-duchesse enfin, c'est la tentation de la charité : sincère, profondément pieuse, elle voudrait obtenir de Kaliayev qu'il accepte de vivre pour expier. Ces trois personnages nous font connaître, chacun à leur manière, l'attitude du monde extérieur à l'égard de l'action terroriste. Dans les trois cas, il y a contresens; dans les trois cas, l'action terroriste telle que la conçoivent Kaliayev et ses amis est mal interprétée. Le prisonnier, que nous avons senti ébranlé dès avant la réussite de son geste, ne va-t-il pas céder?

• Acte V

Le lien se renoue avec les actes I, II et III. On retrouve un appartement « de même style » que le précédent. On retrouve les membres de l'organisation, y compris Voinov, qui a repris courage. Tous attendent de savoir si Kaliayev sera ou non exécuté, et les problèmes déjà évoqués surgissent à nouveau, mais sous l'éclairage lugubre de la mort. Que signifient l'amour, la vie, la révolution, le sacrifice? C'est à Stepan que revient le soin de raconter l'exécution de Kaliayev. Et, tandis que le destin de celui-ci s'achève, l'action révolutionnaire va continuer, puisque Dora obtient la promesse de lancer elle-même la prochaine bombe. Mais elle accomplira ce geste comme une sorte de suicide, pour rejoindre Kaliayev. Les deux amants ne pourront être unis que dans la mort. Et ce n'est pas forcer les choses que d'évoquer ici *Roméo et Juliette*, puisque Camus a choisi comme épigraphe, on l'a vu [1], quelques mots empruntés au drame de Shakespeare, et que l'on peut traduire ainsi : « O amour! O vie! Non pas la vie, mais l'amour dans la mort ». Tragédie politique, *Les justes* s'achèvent ainsi en tragédie d'amour.

UNE PIÈCE CLASSIQUE

Il n'est pas question de se demander si *Les justes* sont conformes aux prescriptions d'Aristote. Néanmoins, on peut parler, au sens large du terme, du classicisme de l'œuvre.

• *Des règles*

Représentés pour la première fois à la fin de l'année 1949, *Les justes* suivent de peu *Les mains sales* de J.-P. Sartre (1948), et précèdent de peu la première pièce de Ionesco (*La cantatrice chauve*, 1950) et la première pièce française de Beckett (*En attendant Godot*, 1953). Pourtant, on ne trouve dans la pièce de Camus ni « flash back », ni mélange des genres, ni audace d'aucune sorte. C'est une pièce en cinq actes, centrée autour d'une crise. La durée ne dépasse guère une semaine. Les lieux sont peu variés et n'exigent qu'un décor minime. Les personnages, en petit nombre, sont groupés autour de Kaliayev, qui apparaît comme le héros de la pièce, par son originalité, par les sentiments qu'il suscite, par son sacrifice et l'influence qu'il exerce.

Bien construite, la pièce suit un déroulement aisé, sans coup de théâtre, sans « deux ex machina ». Tout est esquissé dès le début, et on assiste à un cheminement continu de

1. Cf. *supra*, p. 36.

l'action et des thèmes jusqu'à la fin, le ressort de l'attente étant utilisé à plusieurs reprises pour tenir le public en haleine. Le déroulement du drame avec l'échec de l'entreprise, puis sa réussite, puis l'emprisonnement et la mort de Kaliayev, est du même ordre que le déroulement d'*Horace*, avec le combat, le meurtre de Camille et le procès, ou encore le déroulement de *Phèdre*, avec le retour de Thésée, la mort d'Hippolyte, la mort de Phèdre. Non que Camus se soit astreint à une sorte d'académisme, mais ce goût naturel de la simplicité et de l'économie que nous observons dans son œuvre, de *L'étranger* à *La chute*, l'a conduit à faire du drame des *Justes* une sorte d'épure. Aucun romantisme extérieur, aucun expressionnisme, aucun de ces mouvements de foule et de ces symboles forcés qui alourdissaient *L'état de siège*. Le « spectacle » est réduit au minimum. Ni le lancement de la bombe, ni l'exécution de Kaliayev n'ont lieu sur la scène ; ces deux événements font l'objet de récits. L'essentiel concerne les esprits et les cœurs bien plus que les yeux.

Ce schéma classique est traversé par un souffle quasi cornélien. Nous avons parlé des tentations auxquelles, tel Polyeucte, Kaliayev est soumis dans la prison. A la fin de la pièce, chacun se trouve contraint à se dépasser, à être plus grand que lui-même : Dora, semblable en cela à Chimène, doit souhaiter la mort de celui qu'elle aime, Voinov dompte sa peur et revient à l'Organisation, Stepan surmonte sa dureté méprisante : Le sacrifice de Kaliayev exerce une sorte de rayonnement.

• Un style

« Il me semble qu'il n'est pas de théâtre sans langage et sans style, écrivait Camus en 1955, ni d'œuvre dramatique valable qui, à l'exemple de notre théâtre classique et des tragiques grecs, ne mette en jeu le destin humain tout entier dans ce qu'il a de simple et de grand. Sans prétendre les égaler, ce sont là, du moins, les modèles qu'il faut se proposer [1]. » Grandeur, simplicité et classicisme sont, nous avons essayé de le montrer, à peu près indiscutables. Il reste à voir si le « langage » et le « style » obéissent au même propos.

1. Ce texte est extrait d'une présentation des *Justes* destinée à la « Comédie de l'Est ». Se reporter à *Théâtre, Récits, Nouvelles* (Pléiade, p. 1835).

Qu'on assiste à la représentation des *Justes* ou qu'on lise la pièce, on ne peut manquer d'être frappé par cette langue soignée, littéraire, que l'auteur manie avec justesse et respect. Ce style, qui ne se départit presque jamais de tenue, et même de noblesse, est, pour Camus, celui qui convient à la tragédie moderne. C'est pourquoi une évidente unité de ton se dégage de ces cinq actes, aucun des personnages ne s'exprimant comme on parle dans la vie courante. Seul Foka se permet quelques familiarités, qui ne vont d'ailleurs pas très loin : « En voilà une histoire » (p. 101). « Ce n'est jamais bon de boire un coup de trop » (p. 102). Mais c'est en une langue soutenue que s'échangent les idées, que sont traduits les sentiments, et même que sont donnés les renseignements et formulées les consignes.

Camus a su, néanmoins, éviter la monotonie en alternant, et parfois en entrelaçant, ce qu'on pourrait appeler un style poétique et un style politique. C'est de cette dernière façon que s'exprime presque toujours Stepan : « Un vrai révolutionnaire ne peut pas s'aimer » (p. 32). « Je n'aime pas la vie, mais la justice qui est au-dessus de la vie » (p. 33). « Rien n'est défendu de ce qui peut servir notre cause » (p. 61). Ne croirait-on pas entendre parler Horace ? Les autres personnages recourent aussi aux maximes, par exemple Voinov, quand il explique pourquoi il est entré dans l'Organisation : « J'ai compris qu'il ne suffisait pas de dénoncer l'injustice. Il fallait donner sa vie pour la combattre » (p. 24). A Kaliayev une ardeur plus juvénile inspire des propos qu'auraient pu tenir Cinna ou Rodrigue : « Quoi ! J'aurais le tyran devant moi et j'hésiterais ? » (p. 29). « Quel honneur, quel honneur pour moi ! Oh ! J'en serai digne » (p. 30). Il n'est pas étonnant que Dora soit de plain-pied avec Kaliayev, elle dont les paroles sont si souvent illuminées de poésie. Les mots « tendresse », « bonheur », « paix » fleurissent sur ses lèvres. Elle évoque avec grâce la vie paisible qu'elle menait jadis : « Je me souviens du temps où j'étudiais. Je riais. J'étais belle alors. Je passais des heures à me promener et à rêver. M'aimerais-tu légère et insouciante ? » (p. 87). Mais il lui faut accepter « l'éternel hiver » (p. 88), tout comme la grande-duchesse se plonge dans la vision de ce « soir cruel » qui dissimulait les préparatifs de l'attentat contre son mari. Ces alliances de mots, aux connotations émouvantes, sont-elles jamais employées dans la vie courante ? L'ironie que manie Skouratov est presque aussi travaillée que celle dont usera Clamence dans *La chute*, et l'humble Foka sait placer la subordonnée de concession : « Tout barine que tu es, pourtant, je ne veux pas te tromper » (p. 104). *Les justes* sont une œuvre « littéraire », et Camus l'a voulue telle.

L'ACCUEIL FAIT A LA PIÈCE

● *Représentations*

Les justes ont été joués pour la première fois le 15 décembre 1949, sur la scène du Théâtre Hébertot, avec une mise en scène de Paul Oettly. Le rôle de Dora était tenu par Maria Casarès, celui de Kaliayev par Serge Reggiani, celui de Stepan par Michel Bouquet. Camus, bien qu'il souffrît alors d'une rechute de tuberculose, vint chaque fois qu'il le put assister aux répétitions. Des témoignages de première main évoquent les contacts très efficaces qu'il avait avec les acteurs, à qui il tint à montrer sa très riche documentation iconographique.

Pendant la saison 1949-1950, la pièce tint solidement l'affiche. Elle fut reprise par la Comédie de l'Est en 1955. Trois ans plus tard, en 1958, dans une interview donnée à « Paris-Théâtre », Camus déclarait : « J'aimerais remonter *Les justes*, qui sont encore plus d'actualité aujourd'hui [1]. »

Une reprise de la pièce fut présentée au Théâtre de l'Œuvre en 1966 (mise en scène de Pierre Frank, Danièle Delorme dans le rôle de Dora, Denis Manuel dans celui de Kaliayev). Les tournées Hubert assurèrent les représentations en 1966-1967. Pendant la saison d'hiver 1972-1973, le TRP (Théâtre de la Région Parisienne) reprend à son tour *Les justes* pour la Maison de la Culture de Créteil (mise en scène de Jean Négroni). La pièce vient de faire l'objet d'une reprise au théâtre Montensier de Versailles, début 1974 (mise en scène de Marcel le Tassencourt).

1. *Op. cit.*, Pléiade, p. 1717.

La saison théâtrale 1949-1950 vit paraître un grand nombre d'articles, dont les uns étaient sévères, les autres favorables, la plupart dosant les éloges et les réserves.

Parmi les premiers, retenons la chronique de Jean Mauduit parue dans les *Études* en février 1950. Détaché et comme absent lors de la représentation, l'auteur de cette chronique déplore le caractère abstrait d'un « théâtre d'idées ». « Les créatures de Camus, écrit-il, sont des idées travesties en hommes. » Allant plus loin, J. Mauduit incrimine ensuite l'ambiguïté de la pièce : si l'attitude de la grande-duchesse et celle de Stepan lui semblent logiques, celle des autres personnages le choque, parce qu'ils jouent sur deux tableaux, celui de la révolution et celui des scrupules moraux. Il voit là les contradictions dangereuses de l'homme de notre temps, contradictions dont, à son avis, se sont nourris les applaudissements qui ont salué la pièce. Retenons en particulier, à la fin de cette chronique, la phrase suivante : « Le manque d'être, l'excès d'intellect, l'équivoque fondamentale dont souffrent les personnages des *Justes* sont les péchés mêmes qui accablent le temps où nous sommes. »

A l'autre pôle, on pouvait lire en ce même mois de février 1950 des louanges presque sans réserves, sous la plume de Henri Gouhier et sous celle de Guy Dumur. La chronique d'Henri Gouhier parut dans *La vie intellectuelle* : L'auteur vante « l'humanisme frémissant » de Camus, et la sincérité avec laquelle celui-ci laisse voir à la fois l'attrait qu'exercent sur lui des êtres passionnés de justice, et la répulsion qu'il éprouve pour le « péché révolutionnaire, quand la fin implique le meurtre comme moyen ». Guy Dumur pour sa part, dans *La table ronde*, replace Camus parmi les moralistes, et évoque Corneille. Il souligne aussi le pathétique de cette pièce à laquelle ne manquent ni la passion, ni le paroxysme, ni le désespoir, et qui, faisant entendre constamment la voix de Camus, a « la sincérité d'un poème ».

Un article écrit plus « à chaud », puisqu'il avait paru dans *Combat* le 19 décembre 1949, insistait également sur les qualités de la pièce. Il était signé Jacques Lemarchand. Celui-ci avait été sensible au mélange d' « âpreté », de « douceur humaine » et de « tendresse profonde ». Le spectateur de cette pièce, signalait-il avec pertinence, est invité à chercher la pureté « non dans la révolution, mais dans ce qui pousse un homme à devenir révolutionnaire ». Et il ajoutait : « La situation dramatique de sa pièce est le passage de cette pureté de l'esprit à l'acte le plus éloigné qu'il soit de la pureté : tuer un homme. »

Beaucoup plus mitigé fut l'article de Gabriel Marcel paru au même moment dans *Les nouvelles littéraires* et repris ensuite dans *L'heure théâtrale* [1]. Le mérite de la pièce n'est pas nié, mais il apparaît comme étant « d'ordre extra-théâtral ». Le mouvement dramatique manque, à en croire G. Marcel, de « tonus » et, loin d'observer une progression, on assiste dans la seconde moitié de la pièce à une « retombée ». Abus de discussions, insuffisance de dynamisme théâtral, « naïveté » des personnages, ambiguïté du crime politique, telles sont les réserves. Néanmoins, l'auteur de l'article reconnaît : « On sent à chaque instant que les questions soulevées dans le drame se posent à la conscience de l'auteur de la façon la plus directe, la plus brûlante. »

Ce qui frappe dans la plupart de ces articles, c'est un certain malaise. Plus qu'une pièce de Beckett ou de Ionesco, cette pièce de Camus a déconcerté par son classicisme même, sa tenue, sa réserve. On pourrait avancer que, dans l'œuvre de Camus, *Les justes* correspondent à ce que fut *Le misanthrope* dans l'œuvre de Molière. Camus, on le comprend, ne fut qu'à demi satisfait des jugements portés sur sa pièce dans la presse. Un critique n'avait-il pas été jusqu'à lui reprocher de n'avoir aucune idée de l'amour ? Voici comment réagit Camus, avec la hauteur qui lui est assez coutumière : « Critique sur *Les justes:* ' Aucune idée de l'amour '. Si j'avais le malheur de ne pas connaître l'amour et si je voulais me donner le ridicule de m'en instruire, ce n'est pas à Paris ou dans les gazettes que je viendrais faire mes classes [2]. »

1. Plon, 1959, p. 173 à 176.
2. *Carnets* **, p. 300.

LES DEUX FRÈRES ENNEMIS

Quand ils s'adressent les uns aux autres, les personnages de la pièce emploient volontiers le mot « frère ». Deux d'entre eux, néanmoins, ont des rapports difficiles : Kaliayev et Stepan. Ce dernier avoue à la fin : « Il y avait quelque chose entre Yanek et moi... je l'enviais » (p. 147-148).

● *Kaliayev*

« J'ai gardé au héros des *Justes*, Kaliayev, le nom qu'il a réellement porté », écrit Camus dans sa Prière d'insérer. Ce n'est donc nullement forcer la pensée du dramaturge que de voir en Kaliayev le « héros » de sa pièce. « Entre tous les héros de Camus, remarque J.-C. Brisville, Kaliayev semble avoir mérité l'affection de son auteur [1]. » Il incarne d'abord un problème qui a déchiré celui-ci, le problème du divorce entre pensée et action. Avant même d'avoir l'idée d'écrire *Les justes*, Camus notait dans ses Carnets : « Imaginons un penseur qui dit : ' Voilà, je sais que cela est vrai. Mais *finalement les conséquences m'en répugnent et je recule* [2]. ' On aura ainsi le penseur absurde et son perpétuel malaise [3]. »

Mais Kaliayev est tout autre chose qu'un « penseur » ; il est, au départ, un homme jeune, ardent, amoureux de la vie, avide de bonheur. Fantaisiste, il a changé le signal

---

1. J.-C. BRISVILLE, *Camus*, La Bibliothèque idéale (p. 89).
2. Souligné par nous.
3. *Carnets* **, p. 83.

convenu. Il s'est amusé à jouer le rôle de colporteur, a séduit ses « collègues », transformé les « mouchards » en « vieux amis ». L'arrivée de ce garçon charmant et rieur, au cours du premier Acte, détend l'atmosphère. Poète, il cite un vers, « aux lieux tranquilles où mon cœur vous souhaitait... », qui n'est pas sans rappeler le poème du jeune Scipion [1], célébrant « la ligne des collines romaines, et cet apaisement fugitif et bouleversant qu'y ramène le soir ». Et lorsqu'il affirme : « C'est cela l'amour, tout donner, tout sacrifier » (p. 84), on pense encore à cette parole de Scipion : « Tout prend pour moi le visage de l'amour ! » Mais personne ne peut rester longtemps innocent. L'amour même qu'il porte au peuple entraîne Kaliayev dans la voie du terrorisme qui fera de lui un meurtrier. Il sera le justicier-assassin, et sa hâte à lancer la bombe n'a d'équivalent que sa hâte à mourir pour racheter un acte que, pourtant, il assume pleinement. Ainsi, son idéalisme, son romantisme révolutionnaire, le précipitent dans un réseau de contradictions qui finissent par avoir raison de sa joie de vivre. La vue des enfants dans la calèche, puis la nécessité de se préparer une deuxième fois à lancer la bombe, ont été pour son tempérament sensible des épreuves trop fortes. Néanmoins, il restera ferme dans sa cellule, malgré les tentations qu'il y affrontera. Une des plus dures sera peut-être d'apprendre que la nièce épargnée par lui « a un mauvais cœur ». On pense à Antigone, avertie de la médiocrité du frère pour lequel elle a sacrifié sa vie. Kaliayev n'a plus qu'à mourir, heureux de mourir, si nous en croyons Dora qui le connaît bien. Ainsi réalisera-t-il la formule de Tarrou [2], qui souhaitait, puisqu'on ne peut éviter de faire du mal, être au moins « un meurtrier innocent ».

• Stepan

Stepan est l'antithèse de Kaliayev à qui il sert presque de faire-valoir. Personnage d'invention, il se présente comme un activiste infatigable, n'ayant d'autre but que l'efficacité. D'aucuns ont vu en lui une sorte de stalinien avant la lettre, permettant à Camus de faire, d'une façon un peu facile et presque caricaturale, la critique anticipée du marxiste

1. Personnage de *Caligula*.
2. Personnage de *La peste*.

endurci. Mais il apparaît aussi - et c'est ce qui lui donne plus de vie - comme une nouvelle version de ces personnages excessifs qu'étaient Caligula et Martha [1]. Comme l'empereur fou, comme la meurtrière calculatrice, Stepan n'agit que pour échapper au désespoir. N'affirme-t-il pas lui-même : « Pour nous qui ne croyons pas en Dieu, il faut toute la justice, ou c'est le désespoir » (p. 126)? Ce désespoir ne tient pas seulement à son athéisme, mais à une douleur personnelle, celle que lui ont causée les coups de fouet reçus jadis et dont il a conservé les marques sur sa peau. Le mélange de ressentiment et de conviction rationnelle fait de Stepan un personnage bien typé et moins figé qu'on ne l'a souvent dit. Vers la fin, d'ailleurs, sa dureté s'atténue. La mort de ce Kaliayev qu'il enviait semble l'avoir à la fois soulagé et quelque peu ému. Le compte rendu qu'il fait de l'exécution est autre chose qu'un récit de Théramène. Et Stepan ne nous paraît plus tout à fait aussi dépourvu de cœur quand il relate ce détail attendrissant : « Une fois seulement, il a secoué sa jambe pour enlever un peu de boue qui tachait sa chaussure » (p. 147).

LES DEUX AUTRES TERRORISTES

A côté de Kaliayev et de Stepan, dont l'opposition et les dialogues marquent des temps forts dans la pièce, les deux autres terroristes peuvent n'apparaître que comme des comparses. Ils ne sont cependant pas négligeables.

● *Boris Annenkov*

Chef du groupe, Boris Annenkov est le reflet de ce Boris Savinkov dont Camus, nous l'avons vu, a lu les *Mémoires d'un terroriste*. Il ne joue pas un rôle fort important, mais entraîne l'estime par sa pondération, son désir d'éviter dans le groupe les scissions, les excès, ou le découragement. Il prétend qu'il ne se souvient plus d'avoir aimé (p. 141), mais on devine qu'il a goûté le plaisir et la vie facile avant d'entrer dans l'Organisation. Le nihilisme de Stepan le choque :

1. Martha est un des personnages féminins du *Malentendu*.

« Ton cœur n'est pas mort », lui dit Dora. L'indication scénique de la fin (« Annenkov, sans une expression, pleure », p. 150) suggère ses tourments et ses doutes.

• *Alexis Voinov*

Alexis Voinov dont le nom rappelle Voinarovski, l'un des « meurtriers délicats », a une personnalité assez attachante. Ardent, harcelé de doutes sur lui-même, il fut un étudiant renvoyé de l'université, et il est maintenant un révolutionnaire qui ne peut se maintenir dans les groupes d'action directe. Il se dit heureux de lancer la bombe, mais, un peu plus tard, il avouera qu'il a « toujours eu peur » (p. 75) et qu'il n'est « pas fait pour la terreur » (p. 76). Il représente un peu l'humanité moyenne prise dans la tourmente révolutionnaire.

LES DEUX FEMMES

Dans l'univers de Camus, hors dans *Le malentendu*, les femmes ne jouent pas un rôle de premier plan. Mais, dans *Les justes*, les deux rôles féminins sont bien émouvants.

• *Dora*

Dora est très proche du cœur de Camus. En 1959, J.-C. Brisville lui avait demandé : « Y a-t-il dans votre œuvre un personnage qui vous est particulièrement cher ? » et Camus répondit : « Marie, Dora, Céleste [1]. »

Dora rappelle cette Dora Doulebov dont Savinkov, dans ses *Mémoires d'un terroriste*, évoque la silhouette à la fois ardente et discrète. D'autres jeunes femmes qui participèrent à l'action révolutionnaire en Russie à diverses époques, et que Camus cite dans ses *Carnets*, ont certainement donné quelques-uns de leurs traits à ce personnage.

Le foyer duquel irradient non seulement ses sentiments, mais aussi ses idées, c'est l'amour. L'amour du peuple l'a conduite au socialisme révolutionnaire. Hélas, bien vite, elle s'aperçut que c'était là « un vaste amour sans appui », « un

---

1. J.-C. BRISVILLE, *Camus* (p. 258).

amour malheureux » (p. 84), un amour peut-être non payé de retour. « Amour absolu », certes, mais qui parfois cède devant le besoin d'un autre amour, un amour fait de dialogue, de tendresse, de douceur et d'abandon. C'est à ces moments de défaillance qu'elle nous touche le plus vivement, et sans doute Camus lui-même la préfère-t-il alors. Comme Kaliayev et avec lui, elle découvre qu'elle est humaine et amoureuse, que l'attitude sublime à laquelle elle s'évertue la raidit de façon insupportable, que la beauté est peut-être aussi importante que la justice, et le bonheur aussi valable que la révolution.

Dora, certes, se ressaisit, mais elle vit avec Kaliayev dans une communion telle que la mort de ce dernier signifiera sa propre mort : non point une mort romanesque, par suicide ou consomption, mais une mort dans l'action, une mort qu'elle souhaite rencontrer au plus vite en lançant la prochaine bombe.

Si Dora est un personnage féminin exceptionnellement vrai et sensible dans l'œuvre de Camus, elle est aussi, dans une assez grande mesure, le porte-parole de son auteur. Toute passionnée qu'elle est, elle a le sens de la mesure, des limites à ne pas dépasser. « Même dans la destruction, il y a un ordre » (p. 62). Les quatre autres membres du groupe sont attirés par Dora, non point seulement à cause du charme qui émane d'elle, mais parce que des conversations avec elle les aident à se définir. Bien qu'elle souffre elle-même du doute, elle joue dans la pièce un rôle central.

• La grande-duchesse

Dans l'article du *Figaro littéraire* que nous citons plus haut [1], G. Walter, ancien précepteur des « neveux », évoque la grande-duchesse, « ange de douceur et de beauté ». Il ajoute : « On ne pouvait la voir sans l'admirer, ni la connaître sans l'aimer (...). Elle était séduisante dans le sens le plus élevé du terme. » C'est ce même G. Walter qui relate l'étrange visite faite par la grande-duchesse à Kaliayev : « Le lendemain, Élisabeth, dont la radieuse beauté s'était fanée en une nuit, se décida à une démarche dont l'audace imprévue renversait toutes les convenances établies. Elle alla voir l'assassin dans sa cellule,

1. Cf. *supra*, p. 38.

et demanda à rester seule avec lui. Scène digne de Corneille et dont Kaliayev a laissé le récit. » Scène digne de Dostoïevski, pourrait-on dire également et plus d'un commentateur a parlé à cette occasion de la puissance régénératrice de la souffrance, du salut qui peut venir du pécheur même : autant d'idées chères à la littérature russe. La grande-duchesse, certes, a tous les éléments d'un grand rôle. Camus en a-t-il tiré tout le parti possible ? En vérité, cette femme sincère, douloureuse, un peu égarée, suscite l'intérêt et attire la sympathie. Camus a su rendre vraisemblable l'appel au secours qu'elle lance à Kaliayev : « A qui parler du crime, sinon au meurtrier ? » (p. 116). « Aide-moi maintenant » (p. 118). Il a su, lui, l'incroyant, faire sentir l'amour de Dieu et la charité qui nourrissent de façon si authentique le cœur de cette femme, alors même qu'elle est, sans le savoir, un instrument entre les mains de Skouratov. Néanmoins, la grande-duchesse ne franchit guère les limites du rationnel, et on ne peut s'empêcher de penser à ce qu'un Dostoïevski eût fait d'un tel personnage.

LE PEUPLE ET LA POLICE

• *Foka*

Dans cette pièce sérieuse et tendue, il introduit un élément d'humour noir qui « passe la rampe » à merveille. C'est le seul moment où le spectateur rit : homme du peuple à l'intelligence épaisse, réfugié dans une horrible bonne conscience, il est en contraste absolu, sur tous les plans, avec Kaliayev, et il est en quelque sorte le délégué caricatural de ce peuple pour lequel Kaliayev combat. En même temps, puisqu'il est un forçat dont la peine est réduite chaque fois qu'il pend un condamné, Foka réunit dans son humble personnage ces deux éléments que Camus n'a cessé d'opposer et d'associer : N'est-il pas, en effet, à la fois « victime » et « bourreau » ?

• *Skouratov*

Lui aussi « passe bien la rampe ». Le public goûte, d'une façon peut-être passablement sadique, la façon dont un juge ou un policier manie un accusé. Il est possible que Camus ait pensé, en campant Skouratov, au juge Porphyre qui se joue habilement de Raskolnikov[1] ; Skouratov a aussi quelques analogies avec des personnages de Koestler, par exemple Ivanof[2]. On peut le trouver antipathique, cynique, machiavélique. On peut le haïr, tandis qu'il met toute son intelligence à déconcerter Kaliayev et à vider de son sens l'acte que celui-ci a commis. Et pourtant, il faut reconnaître qu'il a parfois raison ; par exemple, quand il entend le prisonnier proclamer : « J'ai lancé la bombe sur votre tyrannie, non sur un homme », et qu'il répond : « Sans doute. Mais c'est l'homme qui l'a reçue » (p. 110). La silhouette de ce policier est bien campée, et Camus n'a pas forcé ni simplifié le personnage. L'ironie qu'il manie volontiers, même si elle nous paraît cruelle, contribue à assurer la présence théâtrale de Skouratov.

Un lecteur de *La chute* peut aussi trouver dans Skouratov une ébauche de Clamence. « Là, nous sommes au centre, déclare-t-il. C'est pour cela d'ailleurs que je me suis fait policier. Pour être *au centre des choses* » (p. 111). Clamence à son tour proclamera son désir de bien faire comprendre à son interlocuteur « cette ville, et le cœur des choses ». « Ici, poursuit-il, nous sommes dans le dernier cercle / . . . / Vous comprenez alors pourquoi je puis dire que *le centre des choses est ici*, bien que nous nous trouvions à l'extrémité du continent[3] ».

Ambigus, à la fois secrets et beaux parleurs, à l'aise dans les lieux de « malconfort », Skouratov et Clamence représentent peut-être un des visages de Camus.

CAMUS, PERSONNAGE PRINCIPAL ?

Au lendemain de la « première » de *Caligula*, R. Kemp écrivait : « Au fond, sont-ce des personnages qu'on me montre ? Quand j'écoute *Caligula*, je ne cesse de penser à Albert Camus. Il est plus grand qu'eux, il est à l'étroit dans le décor... Je ne me demande pas : que va faire Caligula ? A quoi songent Cherea et Scipion ? mais : que veut dire M. Camus ? » Et H. Gouhier

---

1. Dans *Crime et châtiment* de Dostoïevski.
2. Dans *Le zéro et l'infini*.
3. *La chute*, Livre de poche, p. 16-17.

commente : « Si la présence de l'auteur est en effet trop apparente dans ses pièces, c'est que ses personnages jouent son propre drame [1]. »

Ce qui était vrai pour *Caligula* l'est tout autant pour *Les justes*. Camus a beau proclamer l'effort constant qu'il a fait pour se « dépersonnaliser [2] », il n'a pu s'abstenir de porter sur scène ses propres problèmes, son propre conflit. Et ce sont peut-être ses personnages qui s'en trouvent quelque peu « dépersonnalisés », même s'ils sont tous, comme nous avons essayé de le montrer, des créations intéressantes et des rôles bien conçus. Camus s'identifie sans doute trop à Kaliayev, tandis que Stepan apparaît de son côté comme le porte-parole des adversaires de Camus. Tout en aimant la pièce et son auteur, force nous est de reconnaître que, parfois, il semble pousser des pions ou trop bien tenir les fils. Finalement, à part Dora qui est une indiscutable réussite, ce sont des personnages secondaires comme Foka qui nous paraissent les plus vivants.

1. H. GOUHIER, *Albert Camus et le théâtre*, in *La table ronde*. Numéro spécial consacré à Camus. Février 1960, p. 64.
2. In *Carnets* **, p. 267.

7 | Essai d'interprétation

« LES JUSTES » ET « LES MAINS SALES »

A peu près contemporaines, œuvres d'auteurs dont les noms ont été si souvent associés, la pièce de Camus et celle de Sartre appellent une comparaison qui nous aidera peut-être à interpréter plus exactement *Les justes*.

Dans les deux cas, nous voyons des membres d'un parti révolutionnaire dans l'action : les uns fanatiques (le Stepan de Camus, le Louis de Sartre), les autres plus inquiets et vulnérables (Kaliayev et le Hugo des *Mains sales*). Entre Dora et Olga, entre Hoederer et Annenkov, certaines analogies se dessinent. Mais cette parenté qui existe entre les deux pièces, qu'il s'agisse du cadre ou des personnages, rend plus sensibles les différences essentielles, différences qui apparaissent déjà dans les titres. Accepter d'avoir « les mains sales », c'est assumer son rôle historique sans se laisser affaiblir par les scrupules des « belles âmes », sans se référer à des « valeurs », à une morale ; ou plutôt, la vraie morale est celle de l'homme qui ose faire l'histoire en y mettant le prix qu'il faut. Morale de l'efficacité, qui est aussi celle de la liberté, puisque l'homme donne un sens au monde et à sa vie par son action même. Les héros de Camus, eux, veulent être des « justes ». Ils ne craignent pas d'affirmer que le but de la révolution est lié à des valeurs spirituelles, à une morale : Il faut aboutir à la solidarité des hommes dans le bonheur et l'innocence. Il faut aussi éviter que l'impureté des moyens n'entame la pureté de la cause. Une éthique idéaliste s'oppose à une éthique de la « praxis ».

D'autre part, l'héroïsme, le geste, comptent plus pour les « justes » que l'action collective. Le Hugo sartrien semble parfois être un des leurs, quand il rêve de se signaler par un acte terroriste qui comblerait ses goûts romanesques : « En Russie, à la fin de l'autre siècle, s'écrie-t-il, il y avait des types qui se plaçaient sur le passage d'un grand-duc avec une bombe dans leur poche. La bombe éclatait, le grand-duc sautait et le type aussi. Je peux faire ça. » Mais Louis répond : « C'étaient des anars. Tu en rêves parce que tu es comme eux : un intellectuel anarchiste. Tu as cinquante ans de retard : le terrorisme, c'est fini » (Tableau I, scène 4). Si l'on ne savait que la pièce de Sartre est antérieure d'une année à celle de Camus, on croirait trouver ici une allusion ironique aux *Justes*.

Quand a éclaté la querelle entre Sartre et Camus après la publication de *L'homme révolté*, on a pu considérer qu'elle avait été préfigurée par l'opposition entre *Les mains sales* et *Les justes*, et même, à l'intérieur de cette dernière pièce, par la confrontation entre Kaliayev et Stepan. Il reste à voir, en nous penchant une nouvelle fois sur la pièce de Camus, si elle permet une interprétation satisfaisante ou si elle échappe difficilement à l'ambiguïté.

LA FIN ET LES MOYENS

La parole d'Ivan Karamazov, affirmant que, si Dieu n'existe pas, tout est permis, a été, on l'a vu, un des leitmotive de la pensée de Camus. L'extension du nazisme l'a amené à s'inscrire nettement contre cette formule : « Je ne puis croire, écrit-il dans sa première lettre à un ami allemand, qu'il faille tout asservir au but que l'on poursuit. Il est des moyens qui ne s'excusent pas. » Plus nettement encore, Camus fait dire à Annenkov, dans *Les justes* : « Des centaines de nos frères sont morts pour qu'on sache que tout n'est pas permis. » Admettre les excès (par exemple le meurtre des enfants) et l'injustice des moyens, c'est condamner la révolution à un échec spirituel, donc à un échec fondamental. Par ailleurs exiger la pureté des moyens, se refuser à certaines actions « salissantes », mais efficaces, c'est compromettre le succès historique de la révolution : Les « limites » sont difficiles à tracer. En complétant

Les Justes par *L'homme révolté*, il semble que Camus ait cru trouver un juste milieu, une solution même, dans l'attitude suivante : il est des cas où l'excès de l'injustice oblige à recourir à la violence ; c'est parfois inévitable. Il faut alors que la violence obéisse non à une doctrine ou à une raison d'État, mais aux valeurs humaines. On est ainsi, pense Camus, dans le sens de la vie. C'est ce qu'il appelle l'efficacité de la « sève », opposée à celle du « typhon ».

LES CONFLITS DE DEVOIRS

La tension des *Justes*, partagés entre le but qu'ils se sont fixé et des scrupules auxquels ils ne peuvent imposer silence, est un des éléments dramatiques de la pièce, mais il faut aussi y voir une contradiction proprement politique. « Tout révolutionnaire, écrit Camus dans *L'homme révolté*, finit en oppresseur ou en hérétique ». Kaliayev aurait probablement versé dans « l'hérésie » s'il avait vécu plus longtemps ; sa réticence à lancer la bombe la première fois était apparue à Stepan comme une attitude hérétique. Stepan, lui, deviendra sûrement un « oppresseur ».

Ainsi, les personnages s'opposent entre eux. Mais le cœur de chacun d'eux (on le devine parfois même chez Stepan) est le théâtre d'une lutte : Le but à atteindre se présente comme un devoir ; pourtant, n'est-ce pas un devoir aussi que de refuser certaines conduites et certains procédés ? Voilà un conflit comparable à ceux qu'on trouve dans les tragédies de Corneille. Le problème est d'autant plus grave quand des vies sont en jeu. Tel Rodrigue prêt à pourfendre don Gormas, tel Cinna décidé à tuer Auguste, Kaliayev n'ose remettre en question la nécessité de faire mourir le « bourreau ». Mais aussi tel ce même Cinna qui hésite à « percer le flanc d'un prince magnanime », tel Auguste lassé de répandre le sang, le jeune terroriste frémit à l'idée de devenir un assassin. Le même problème s'est posé aux Résistants. Il faut oublier l'homme qu'on tue pour ne plus voir en lui que le représentant d'une idée. Quelle conscience un peu exigeante peut s'accommoder d'un tel sophisme ?

L'angoisse que ressentent Kaliayev et Dora est sans doute un reflet du malaise éprouvé par Camus lorsqu'il tenta de jouer un rôle dans la cité. On se rappelle sa volte-face à propos de l'épuration qu'il souhaitait d'abord implacable, qu'il jugea ensuite cruelle et injuste. Mais c'est surtout durant la guerre d'Algérie que, malgré sa bonne volonté, ou plutôt à cause d'elle, Camus donna l'impression de tergiverser, de célébrer des idées abstraites, mais d'envisager beaucoup moins clairement les conséquences pratiques.

Les antithèses que comportent les titres mêmes de Camus sont frappantes : une de ses premières œuvres s'intitule *L'envers et l'endroit*, et l'un des récits qu'elle contient s'intitule *Entre oui et non*. Le dernier recueil de nouvelles a pour titre *L'exil et le royaume*. On peut trouver là le signe d'un esprit en quête d'une vérité qui lui échappe et dont il saisit alternativement les diverses faces. On peut aussi y déceler une hésitation paralysante, une inquiétante ambiguïté.

L'IMPASSE

N'est-ce pas finalement dans une voie sans issue que nous conduisent *Les justes*? L'action est souhaitée, concertée ; et pourtant l'intégrité de la conscience fait pencher vers l'abstention. Le meurtre n'en est pas moins exécuté, mais il entraîne une gêne, un malaise, voire de la honte. Cercle vicieux, donnant l'impression qu'on perd sur tous les tableaux. Si l'on respire, dans maintes scènes, un air raréfié, la clandestinité, la peur qu'éprouvent les terroristes, n'en est pas la seule cause. Ou plutôt, c'est une peur profonde, essentielle : celle de risquer sa vie et d'attenter à la vie d'autrui peut-être pour rien. D'où un sentiment pernicieux d'échec qui s'insinue chez les spectateurs. Ces justes ne stérilisent-ils pas l'esprit révolutionnaire ? Croient-ils vraiment à cette révolution ? « Pour une cité lointaine dont je ne suis pas sûr, déclare Kaliayev, je n'irai pas frapper le visage de mes frères » (p. 65). Le problème posé par *Les justes* ne se résout finalement que dans la mort : « C'est tellement plus facile de mourir de ses contradictions que de les vivre », avoue Dora (p. 141). Mais peut-être cet appel de la mort nous amène-t-il à un autre niveau d'interprétation.

LE SALUT

Dans l'avant-propos de *la Dévotion à la Croix*, pièce espagnole qu'il a adaptée, Camus évoque « la grâce qui transfigure le pire des criminels, le salut suscité par l'excès du mal [1] ». Dans *Les justes*, il ne s'agit pas de « grâce », mais le mot « salut » n'est pas trop fort. Dès le premier acte, alors que rien n'a encore entamé son enthousiasme, Kaliayev déclare à Dora : « Une pensée me tourmente : ils ont fait de nous des assassins. Mais je pense en même temps que je vais mourir, et alors mon cœur s'apaise » (p. 38). Besoin de se mettre en règle, qui va jusqu'au goût du sacrifice. Ce Kaliayev qui condamne le grand-duc à mort mais souhaite, après l'attentat, se diriger vers l'échafaud, est déjà, à la manière de Clamence, un « juge-pénitent ». Ces deux êtres sont bien différents l'un de l'autre, mais ils ont tous deux la nostalgie de l'innocence perdue, le désir de se sentir pardonnés. Ne rejoignons-nous pas ici l'idée d'expiation ?

De fait, le thème du meurtre rédempteur apparaît avec force dans une des toutes dernières œuvres adaptées par Camus, *Requiem pour une nonne*, d'après Faulkner : Nancy Mannigoe tue l'enfant de Temple pour que le mal ne triomphe pas tout à fait [2] ; mais elle accepte en même temps la condamnation qui lui rendra son innocence, tout comme Kaliayev refuse d'être gracié.

Au-delà du contexte historique et des problèmes politiques, *Les justes* prennent dès lors une autre dimension. Certes, on peut considérer que, de l'impasse signalée plus haut, Camus n'est pas vraiment sorti, que, au moment de leur exécution, Nancy et Kaliayev ajoutent simplement une nouvelle mort à une autre mort, que le meurtre de l'enfant de Temple et celui du grand-duc restent des crimes... Mais le Christ lui-même, si l'on en croit Camus, fut aussi, indirectement, responsable d'un crime, « un certain massacre des innocents [3] ». Il y a là, dans *La chute*, tout un passage qui éclaire d'une lumière

---

1. *Théâtre, Récits, Nouvelles* (Pléiade, p. 525).
2. C'est le seul moyen qu'elle a trouvé pour empêcher Temple de quitter son foyer.
3. *La chute*, Livre de poche, p. 122.

vive et assez inattendue la situation et les sentiments des
« justes » : Comme il ressemble à Kaliayev, ce Christ vu à
travers J.-B. Clamence, ce Christ qui ne pouvait oublier les
« soldats sanglants », les « enfants coupés en deux ». Il « entendait au long des nuits la voix de Rachel gémissant sur ses
petits et refusant toute consolation », comme Kaliayev devait
aussi, dans sa cellule, continuer à entendre les plaintes de la
grande-duchesse. « Il valait mieux en finir, ne pas se défendre, mourir », poursuit Clamence [1]. La phrase pourrait s'appli-
quer à Kaliayev tout comme au Christ de *La chute*. Aussi
bien, le récit de la mort de Kaliayev est presque celui d'une
« passion » et Dora imagine qu'à ce moment il devait être
« heureux ». « Ce serait trop injuste qu'ayant refusé d'être
heureux dans la vie pour mieux se préparer au sacrifice,
il n'ait pas reçu le bonheur en même temps que la mort »
(p. 149). Voinov nous apprend que, au moment de l'exécution,
on entendit « un bruit terrible ». « C'est le jour de la justification », s'écrie Dora (p. 150), et nous pressentons que Kaliayev
est sur le point d'entrer dans la légende révolutionnaire.

Il ne s'agit pas de « christianiser » indûment Camus ;
ce serait être infidèle à ses intentions. Mais il ne faut pas non
plus limiter son message à des conseils de mesure et à une
morale de juste milieu. Kaliayev et Dora ouvrent, en même
temps que ce Tarrou ambitieux de devenir un « saint laïque »,
la voie qu'emprunteront Jean-Baptiste Clamence, Nancy
Mannigoe, les « possédés [2] » et plusieurs personnages des dernières nouvelles de Camus [3] : Le cycle du Mal et du Bien, la
cruauté inévitable et le rachat possible, enfin, au-delà de
« l'exil », « le royaume » qui est peut-être le salut ; autant de
réflexions qui élargissent l'œuvre de Camus bien au-delà
de son rationalisme parfois crispé.

En partie pièce historique, en partie tragédie d'amour,
Les justes se placent aussi dans la perspective philosophique
ouverte par *Le mythe de Sisyphe* : « Je juge que le sens de la
vie est la plus pressante des questions » déclarait alors le jeune
Camus. Loin de s'interroger seulement sur l'opportunité
d'une action politique, c'est cette « pressante question » que,
au fond, se posent les « justes ».

---

1. *La chute*, p. 123.
2. Ce fut la dernière adaptation théâtrale de Camus avant sa mort.
3. *L'exil et le royaume*, NRF, 1957.

Annexes

▶ Appendice I

Bakounine : Le catéchisme du révolutionnaire

Nous avons fait plusieurs fois allusion à l'anarchiste Bakounine. L'œuvre intitulée *Le catéchisme du révolutionnaire* lui est généralement attribuée, bien que d'autres y voient la main de Netchaiev. Ce texte fameux était devenu à peu près introuvable en langue française. Il n'a été publié en entier que dans le livre sur *L'alliance de la démocratie sociale et l'association internationale des travailleurs* (Londres et Hambourg - 1873) dont K. Marx, F. Engels et P. Lafargue étaient les auteurs. Ce livre, devenu très rare, ne figure pas au catalogue de la Bibliothèque Nationale. La revue *Le contrat social* a eu l'heureuse idée de publier *Le catéchisme du révolutionnaire* de Bakounine, dans son numéro de mai 1957, à la rubrique « Pages oubliées ». Nous reproduisons six des articles de la première partie, intitulée « Devoirs du révolutionnaire envers lui-même ». Que Camus ait ou non connu ce texte, les analogies entre le « révolutionnaire » selon Bakounine et le personnage de Stepan sont frappantes.

« Devoirs du révolutionnaire envers lui-même

- Le révolutionnaire est un homme voué. Il n'a ni intérêts personnels, ni affaires, ni sentiments, ni attachements, ni propriété ni même un nom. Tout en lui est absorbé par un seul intérêt exclusif, une seule pensée, une seule passion : la révolution.

- Dans la profondeur de son être, non seulement en paroles, mais de fait, il a brisé tout lien avec l'ordre civil et avec le monde civilisé tout entier, avec les lois, les convenances, avec la moralité et les conventions généralement reconnues dans ce monde. Il en est l'ennemi implacable, et s'il continue à vivre dans ce monde, ce n'est que pour le détruire plus sûrement. (...)

- Il méprise l'opinion publique. Il méprise et hait la morale sociale actuelle dans tous ses instincts et dans toutes ses manifestations. Pour lui, tout est moral qui favorise le triomphe de la révolution, tout est immoral et criminel qui l'entrave.

- Le révolutionnaire est un homme voué, il est sans merci pour l'État en général et pour toute la classe civilisée de la société, et il ne doit pas non plus attendre de merci pour lui-même. Entre lui et la société il y a lutte à mort, ouverte, ou cachée, mais toujours incessante et irréconciliable. Il doit s'habituer à supporter la torture.

- Rigide envers lui-même, il doit l'être aussi envers les autres. Tous les sentiments d'affection, les sentiments ramollissants de parenté, d'amitié, d'amour, de reconnaissance, doivent être étouffés en lui par la passion unique et froide de l'œuvre révolutionnaire. Il n'existe pour lui qu'une seule jouissance, une seule consolation, une récompense et une satisfaction : le succès de la révolution. Nuit et jour il doit avoir une seule pensée, un seul but - la destruction implacable. Poursuivant ce but froidement et sans relâche, il doit être prêt à périr lui-même et à faire périr de ses propres mains tous ceux qui l'empêchent d'atteindre ce but.

- La nature d'un vrai révolutionnaire exclut tout romantisme, toute sensibilité, tout enthousiasme et tout entraînement; elle exclut même la haine et la vengeance personnelles. La passion révolutionnaire, devenue chez lui une habitude de tous les jours et de tous les instants, doit s'allier au froid calcul. Toujours et partout, il doit obéir, non à ses impulsions personnelles, mais à ce que lui prescrit l'intérêt général de la révolution. »

▶ Appendice II

Camus : « Il s'agit de savoir si tous les moyens sont bons... »

Ce problème, Camus a commencé à se le poser sérieusement pendant la seconde guerre mondiale et il n'a cessé d'y revenir par la suite. Voici, à ce sujet, des passages extraits d'un article qu'il fit paraître dans *Combat* le 4 novembre 1944, et qui fut reproduit dans *Actuelles I* [1] au chapitre « Morale et politique ». On y trouve déjà les thèmes sur lesquels s'affronteront Kaliayev et Stepan :

« Il y a deux jours, Jean Guéhenno a publié dans *Le figaro* un bel article qu'on ne saurait laisser passer sans dire la sympathie et le respect qu'il doit inspirer à tous ceux qui ont quelque souci de l'avenir des hommes. Il y parlait de la pureté : Le sujet est difficile.

Il est vrai que Jean Guéhenno n'eût sans doute pas pris sur lui d'en parler si dans un autre article, intelligent quoique injuste, un jeune journaliste ne lui avait fait reproche d'une pureté morale dont il craignait qu'elle ne se confondît avec le détachement intellectuel. Jean Guéhenno y répond très justement en plaidant pour *une pureté maintenue dans l'action*. Et, bien entendu, *c'est le problème du réalisme qui est posé : il s'agit de savoir si tous les moyens sont bons* [2].

Nous sommes tous d'accord sur les fins, nous différons d'avis sur les moyens. Nous apportons tous, n'en doutons pas, une passion désintéressée au bonheur impossible des hommes. Mais simplement *il y a ceux qui, parmi nous, pensent qu'on peut tout employer pour réaliser ce bonheur, et il y a ceux qui ne le pensent pas. Nous sommes de ceux-ci* [2]. Nous savons avec quelle rapidité les moyens sont pris pour les fins. Cela peut provoquer l'ironie des réalistes et Jean Guéhenno vient de l'éprouver. Mais c'est lui qui a raison et notre conviction est que son apparente folie est la seule sagesse souhaitable pour aujourd'hui. Car il s'agit de faire, en effet, le salut de l'homme. Non pas en se plaçant hors du monde, mais à travers l'histoire elle-même. *Il s'agit de servir la dignité de l'homme par des moyens qui restent dignes au milieu d'une histoire qui ne l'est pas*. On mesure la difficulté et le paradoxe d'une telle entreprise. »

(*Actuelles I*, p. 59-61.)

---

1. *Actuelles I*, Chroniques 1944-1948 (Gallimard, NRF, 1950).
2. Souligné par nous.

▶ Appendice III

Camus : « Les meurtriers délicats »

Camus, on l'a vu, a été ému et presque séduit par les terroristes russes du début du XXᵉ siècle. Voici quelques passages extraits du chapitre de *L'homme révolté* consacré à ces terroristes pleins de scrupules. On comprendra mieux, en lisant ce texte, ce qui a poussé Camus à mettre en scène les « Justes » :

« Dans l'univers de la négation totale, par la bombe et le revolver, par le courage aussi avec lequel ils marchaient à la potence, ces jeunes gens essayaient de sortir de la contradiction et de créer les valeurs dont ils manquaient. Jusqu'à eux, les hommes mouraient au nom de ce qu'ils savaient ou de ce qu'ils croyaient savoir. A partir d'eux, on prit l'habitude, plus difficile, de se sacrifier pour quelque chose dont on ne savait rien, sinon qu'il fallait mourir pour qu'elle soit.

« L'histoire offre peu d'exemples de fanatiques qui aient souffert de scrupules jusque dans la mêlée. Aux hommes de 1905, du moins, les doutes n'ont jamais manqué. Le plus grand hommage que nous puissions leur rendre est de dire que nous ne saurions, en 1950, leur poser une seule question qu'ils ne se soient déjà posée et à laquelle, dans leur vie, ou par leur mort, ils n'aient en partie répondu.

« Pourtant, ils ont passé rapidement dans l'histoire. Lorsque Kaliayev, par exemple, décide en 1903 de prendre part avec Savinkov à l'action terroriste, il a vingt-six ans. Deux ans plus tard, le « Poète », comme on le surnommait, est pendu. C'est une carrière courte. Mais pour celui qui examine avec un peu de passion l'histoire de cette période, Kaliayev, dans son passage vertigineux, lui tend la figure la plus significative du terrorisme. Sasonov, Schweitzer, Pokolitov, Voinarovski et la plupart des autres ont ainsi surgi dans l'histoire de la Russie et du monde, dressés un instant, voués à l'éclatement, témoins rapides et inoubliables d'une révolte de plus en plus déchirée. (...)

« Dans le même temps, ces exécuteurs qui mettaient leur vie en jeu, et si totalement, ne touchaient à celle des autres qu'avec la conscience la plus pointilleuse. L'attentat contre le grand-duc Serge échoue une première fois parce que Kaliayev, approuvé par tous ses camarades, refuse de tuer les enfants qui se trouvaient dans la voiture du grand-duc. Sur Rachel Louriée, une autre terroriste, Savinkov écrit : ' Elle avait foi en l'action terroriste, elle considérait comme un honneur et un devoir d'y prendre part, mais le sang ne la troublait pas moins qu'il ne troublait Dora. ' Le même Savinkov s'oppose à un attentat contre l'amiral Doubasov, dans le rapide Pétersbourg-Moscou : ' A la moindre imprudence, l'explosion aurait pu se produire dans la voiture et tuer des étrangers. ' Plus tard, Savinkov, ' au nom de la conscience terroriste ', se défendra avec indignation d'avoir fait participer un enfant de seize ans à un attentat. Au moment de s'évader d'une prison tsariste, il décide de tirer sur les officiers qui pourraient s'opposer à sa fuite, mais de se tuer plutôt que de tourner son arme contre des soldats. De même, Voinarovski, ce tueur d'hommes qui avoue n'avoir jamais chassé, ' trouvant cette occupation barbare ', déclare à son tour : ' Si Doubasov est accompagné de sa femme, je ne jetterai pas la bombe. '

« Un si grand oubli de soi-même, allié à un si profond souci de la vie des autres, permet de supposer que ces meurtriers délicats ont vécu le destin révolté dans sa contradiction la plus extrême. On peut croire qu'eux aussi, tout en reconnaissant le caractère inévitable de la violence, avouaient cependant qu'elle est injustifiée. *Nécessaire et inexcusable, c'est ainsi que le meurtre leur apparaissait*. Des cœurs médiocres, confrontés avec ce terrible problème, peuvent se reposer dans l'oubli de l'un des termes. (...)

« Mais les cœurs extrêmes dont il s'agit n'oubliaient rien. Dès lors, incapables de justifier ce qu'ils trouvaient pourtant nécessaire, ils ont imaginé de se donner eux-mêmes en justification et de répondre par le sacrifice personnel à la question qu'ils se posaient. Pour eux, comme pour tous les révoltés jusqu'à eux, le meurtre s'est identifié avec le suicide. Une vie est alors payée par une autre vie et, de ces deux holocaustes, surgit la promesse d'une valeur. Kaliayev, Voinarovski et les autres croient à *l'équivalence des vies*. (...)

« Celui qui tue n'est coupable que s'il consent encore à vivre ou si, pour vivre encore, il trahit ses frères. Mourir, au contraire, annule la culpabilité et le crime lui-même. (...)

« 1905, grâce à eux, marque le plus haut sommet de l'élan révolutionnaire. »

Les « Justes » ont semblé parfois aux commentateurs de la pièce être des naïfs et l'auteur s'est entendu reprocher une absence totale de sens politique ou une orientation réactionnaire. Voici une de ses réponses. Il s'agit d'une lettre adressée par Camus à la revue *Caliban* à propos des *Justes*. Elle est reproduite dans *Actuelles II* [1] :

« Le problème n'est pas de savoir si, comme vous le dites, on peut tuer le gardien de la prison alors qu'il a des enfants, et pour s'évader soi-même, mais s'il est utile de tuer aussi les enfants du gardien pour libérer tous les détenus. La nuance n'est pas mince.

Notre époque ne répond ni oui, ni non. Quoique pratiquement, elle l'ait déjà résolu, elle fait comme si le problème ne se posait pas, ce qui est plus confortable. Je ne l'ai pas, moi, posé. Mais j'ai choisi de faire revivre des gens qui se le posaient, et je les ai servis, en m'effaçant derrière eux, que je respectais.

Il est bien certain cependant que leur réponse n'est pas : ' Il faut rester chez soi. ' Elle est :

1. Il y a des limites. Les enfants sont une limite (il en est d'autres);

2. On peut tuer le gardien, exceptionnellement, au nom de la justice;

3. Mais il faut accepter de mourir soi-même.

La réponse de notre époque (réponse implicite) est, au contraire :

1. Il n'y a pas de limites. Les enfants, bien sûr, mais en somme...

2. Tuons tout le monde au nom de la justice pour tous.

3. Mais réclamons en même temps la Légion d'honneur. Ça peut servir.

Les socialistes révolutionnaires de 1905 n'étaient pas des enfants de chœur. Et leur exigence de justice était autrement sérieuse que celle qui s'exhibe aujourd'hui, avec une sorte d'obscénité, dans toutes les œuvres et dans tous les journaux. Mais c'était parce que l'amour de la justice était brûlant chez eux qu'ils ne pouvaient se résoudre à devenir de répugnants bourreaux. Ils avaient choisi l'action et la terreur pour

1. *Actuelles II*, Gallimard, NRF, 1953.

servir la justice, mais ils avaient choisi en même temps de mourir, de payer une vie par une vie, pour que la justice demeure vivante.

Le raisonnement ' moderne ', comme on dit, consiste à trancher : ' Puisque vous ne voulez pas être des bourreaux, vous êtes des enfants de chœur ' et inversement. Ce raisonnement ne figure rien d'autre qu'une bassesse. Kaliayev, Dora Brilliant et leurs camarades réfutent cette bassesse par-dessus cinquante années et nous disent au contraire qu'il y a une justice morte et une justice vivante. Et que la justice meurt dès l'instant où elle devient un confort, où elle cesse d'être une brûlure, et un effort sur soi-même.

Nous ne savons plus voir cela parce que le monde où nous vivons est encombré de justes. En 1905, il n'y en avait qu'une poignée. Mais c'est qu'alors il s'agissait de mourir et il fallait des apôtres, espèce rare. Aujourd'hui, il ne faut plus que des bigots et les voilà légion. Mais quand on lit ce qu'on est contraint en ce moment de lire, quand on voit la face mercantile et bassement cruelle de nos derniers justes, qu'ils soient de droite ou de gauche, on ne peut s'empêcher de penser que la justice, comme la charité, a ses pharisiens.

Heureusement, il est une autre race d'hommes que celle de l'enfant de chœur ou du bourreau, et même que celle, plus ' moderne ', du bourreau-enfant de chœur ! Celle des hommes qui, dans les pires ténèbres, essaient de maintenir la lumière de l'intelligence et de l'équité, et dont la tradition survit à la guerre et aux camps qui, eux, ne survivront à rien.

Cette image de l'homme triomphera, malgré les apparences. Entre la folie de ceux qui ne veulent rien que ce qui est et la déraison de ceux qui veulent tout ce qui devrait être, ceux qui veulent vraiment quelque chose, et sont décidés à en payer le prix, seront les seuls à l'obtenir. »

(*Actuelles II*, p. 21 à 24.)

▶ Appendice V

Nous avons vu que Camus, à plusieurs reprises, se référait à Savinkov, auteur des *Mémoires d'un terroriste*. Les extraits qu'on va lire ici montrent que cette œuvre lui a été d'une grande ressource.

(Ce premier passage concerne Dora Brilliant, dont Camus s'est inspiré pour concevoir son personnage de Dora Doulebov) :

« Je la vis pour la première fois dans une pauvre chambre d'étudiante, quelque part dans la rue Coilianskaia, à Kiev. Cela se passait en 1904, au début de la terreur de Plehve. Rares alors étaient ceux qui osaient lutter. Elle était de ceux-là, et elle semblait avoir réfléchi depuis longtemps et être décidée à tout.

Elle était debout en face de moi, silencieuse et triste, telle que je l'ai connue durant toute sa vie si courte.
- Savez-vous qu'il faudra tout quitter, votre famille ?
- Oui.
- Vivre clandestinement sans avoir même un coin à vous ?
- Oui.
- Peut-être mourir ?
- Oui.
- Peut-être tuer ?
Un silence, puis d'une voix à peine perceptible :
- Oui.

Je vois ses grands yeux profonds et fatigués. Ces mots de la Bible me reviennent à la mémoire : « De grandes eaux ne peuvent éteindre l'amour et les fleuves ne peuvent le submerger, car l'amour est fort comme la mort. »

Elle se taisait, toujours calme. Pas un mot sur elle-même, sur sa vie, sur ses tourments, comme si rien de cela n'existait. Qui était-elle, d'où venait-elle ? Effacée, elle allait à la mort silencieusement. D'ailleurs, faut-il des mots pour mourir ?

Ses yeux noirs s'allumaient parfois d'une lueur, du feu caché d'un grand amour agissant. La terreur pesait sur elle comme une croix. La mort devenait une libération. Elle ne pouvait se réconcilier avec le meurtre, et pourtant elle avait accepté de verser le sang. Elle cherchait une issue et n'en trouvait pas (...) Elle faisait l'offrande de sa propre vie pour racheter la honte du meurtre ; tout cela pour le peuple et en son nom. »

(Savinkov raconte, plus loin, une autre de ses entrevues avec Dora, peu de temps avant la mort de Plehve [1]) :

« Elle se remit à dessiner sur le sable, du bout de son ombrelle. Il restait en elle quelque chose qu'elle ne pouvait pas exprimer, quelque chose qui se cachait. Son cœur s'était à nouveau refermé.

- Est-ce que vous me comprenez ? Je souffre de vivre ainsi. Comprenez-vous cela ? Nous tuons ! Même s'il s'agit d'un ennemi, c'est terrible. Je sais bien qu'il faut tuer, qu'il faut du sang. Mais laissez-moi mourir aussi. Ne me tourmentez plus, laissez-moi mourir. Je n'ai plus la force de vivre...

Alors j'entrevis le secret de cette âme. Je compris qu'en elle, c'était la nuit, une angoisse sans fin, un effroi indicible. Je m'inclinai jusqu'à terre devant ce tourment de l'amour, ce tourment d'un cœur de femme. »

(Nul doute que Camus ne se soit longuement penché sur cette page. La mélancolie très particulière qui pénètre les scènes dans lesquelles apparaît Dora a son origine ici, et aussi dans cette passion sombre, tendue, parfois glacée, qui circule dans la pièce.

Voici maintenant un autre extrait des *Mémoires* de Savinkov, concernant cette fois Kaliayev [2]. Il vient de renoncer à lancer la bombe contre le grand-duc Serge à cause de la présence des enfants) : « Le grand-duc Serge était entré dans le théâtre. Les feux blancs de son carrosse avaient déjà disparu. Je n'avais rien entendu. Il me semblait qu'en ces quelques minutes, des années s'étaient écoulées.

Dans la brume et le froid, quelques réverbères luisaient à peine. On ne voyait rien, ni personne, sauf çà et là quelques arbres et, au-dessus des tours du Kremlin, lourds et noirs, les nuages.

Kaliaev venait vers moi. Il paraissait anxieux, transi et mort de fatigue. Il me cherchait. La neige grinçait sous ses pas. Il était maintenant tout près de moi, silencieux. Il me regarda et me dit :

« Comprends-moi. J'ai peur que ce soit un crime contre nous tous, mais je ne pouvais pas faire autrement. Comprends-moi, je ne pouvais pas. Quand j'ai vu cette femme, ces enfants, ma main s'est arrêtée. Pourquoi eux ? Je ne pouvais pas, et à présent non plus, je ne peux pas. »

---

1. Cf. *supra*, p. 31.
2. C'est l'orthographe utilisée par Camus. Savinkov écrit : « Kaliaev ».

Il tremblait, et ses doigts rougis serraient fortement le cylindre, comme s'il craignait de le lâcher.

« Dis-moi, est-ce que je n'ai pas bien fait ? Doivent-ils mourir, eux aussi ? Sont-ils coupables ? Penses-tu que j'ai eu peur ? Non, n'est-ce pas ? J'ai couru jusqu'au carrosse, j'ai levé le bras, et je les ai vus, eux et lui. J'ai voulu jeter ça vers lui, et je n'ai pas pu. Ma main est retombée. J'ai compris qu'eux aussi allaient mourir. Que faire ? que faire ? (...)

« C'est à toi de décider. Je ne peux pas prendre cela sur moi tout seul. S'il le faut, pour nous, pour le Parti, pour tous, je les attendrai sur le chemin du retour, et bientôt ils n'existeront plus, ni lui, ni elle, ni les enfants. »

Il se tut un instant.

« Et moi aussi je mourrai, reprit-il. Mais ne pense pas à moi. Réfléchis, pense au Parti... et à eux. Il en sera comme nous en aurons décidé. Tu entends ? *Comme nous en aurons décidé* [1]. » (...)

Je rencontrai Dora dans la journée. Nous prîmes la Tverskaïa, en direction du Kremlin. Nous étions dans l'attente. Qu'allait-il bien arriver ? Elle serra fortement ma main et se tut. Elle était calme, sans angoisse, elle semblait ne plus penser à la mort. Et d'ailleurs, la mort d'un ennemi vaut-elle une pensée ? Peut-on peser le sang de celui qui s'est lui-même couvert de sang ? Est-ce à nous de souffrir sa souffrance ? Vie pour vie, mort pour mort : il doit mourir et il mourra.

Dora se taisait. Mais qui aurait pu sonder son âme ?

Tout à coup, un gamin déguenillé et nu-tête accourut vers nous. Dans son effroi, il agitait les bras et criait à travers toute la Tverskaïa :

« Le grand-duc Serge a été tué. Il a eu la tête arrachée. »

Je sentis la main de Dora quitter la mienne. Sa tête s'inclina et je vis ses larmes, j'entendis les sanglots qu'elle ne pouvait plus retenir. Tout ce qu'elle avait eu tant de mal à dissimuler, à ensevelir dans le fond de son cœur, se libérait maintenant par ces larmes.

- « Qu'avez-vous ? Calmez-vous...

- Le grand-duc a été tué ! Mon Dieu, c'est nous, c'est moi ! Je l'ai tué ! Oui, c'est moi qui l'ai tué. »

Elle voulait donner sa vie, et c'est la mort d'un autre

---

1. En italiques dans le texte.

qu'on lui offrait. Elle ne voulait pas tuer, elle désirait mourir, mais on l'obligeait à vivre et sa vie était un tourment sans mesure, sans issue. »

Ces pages sont extraites des *Documents* fournis par ROGER QUILLIOT à la fin du premier tome des *Œuvres* de Camus (Pléiade) (p. 1847 à 1851).

1. CAMUS

Camus est sans doute l'auteur contemporain dont l'œuvre a suscité le plus grand nombre de livres, articles et études diverses. Nous n'en retenons qu'un petit nombre, et plus particulièrement ce qui permet d'éclairer *Les justes*.

● Nous indiquons d'abord deux œuvres qui sont une *introduction* excellente et à peu près impartiale à la lecture de Camus :

JEAN-CLAUDE BRISVILLE : *Camus* (Gallimard. « La Bibliothèque idéale », 1959). Livre riche et varié, comportant une étude sur l'homme et l'œuvre, des pages choisies, des phrases caractéristiques, des jugements sur Camus, et une bibliographie.

LES CRITIQUES DE NOTRE TEMPS ET CAMUS (Garnier, 1970). Extraits d'intéressantes études critiques (retenons, parmi les auteurs : Jean Grenier, Sartre, N. Sarraute, Roland Barthes, Gaëtan Picon, Maurice Blanchot, Serge Doubrovsky). Le 1er chapitre est consacré à : « Camus et le Théâtre ».

● *Quelques études d'ensemble sur Camus* (par ordre de dates) :

GEORGES HOURDIN : *Camus le juste* (Éd. du Cerf, 1960). Court essai (une centaine de pages) écrit peu de temps après la mort de Camus, par un chrétien qui, tout en célébrant l'honnêteté de Camus, tient à lui opposer sa propre orientation spirituelle. Les chapitres v (« Révolte et charité », p. 53 à 64) et vi (« L'antistalinisme », p. 65 à 77) peuvent aider à interpréter *Les justes*.

P.-H. SIMON : *Présence de Camus* (Nizet, 1961). Groupe des articles échelonnés sur une quinzaine d'années. Insiste sur l'évolution de Camus vers l'humanisme. Un chapitre est consacré à « la ligne du théâtre » (p. 79 à 104).

ANNE DURAND : *Le cas Albert Camus. L'époque camusienne.* (Éd. Fischbacher, 1961). Livre écrit sur un ton libre, original, voire désinvolte. L'auteur montre comment « l'époque a fait son profit de l'homme » et comment « lui a profité d'elle ».

MORVAN LEBESQUE : *Camus par lui-même* (Éd. du Seuil, « Écrivains de toujours », 1963). Étude compréhensive et chaleureuse, qui suit pas à pas la vie et l'œuvre de Camus. Sur *Les justes*, p. 95 à 99.

CARINA GADOUREK : *Les Innocents et les Coupables. Essai d'exégèse de l'œuvre de Camus* (Trouton et Cᵒ, 1963). Étude personnelle, dans laquelle on ne rencontre pas les clichés et redites qui affaiblissent un bon nombre des ouvrages consacrés à Camus. L'auteur voit, dans les réflexions sur l'innocence et la culpabilité, un fil directeur qui permet d'éclairer l'œuvre de Camus, depuis *Caligula*, jusqu'aux nouvelles qui composent *L'exil et le royaume*.

PAUL GINESTIER : *Pour connaître la pensée de Camus* (Bordas, 1964). Étude honnête des « attitudes vitales » et des « attitudes philosophiques » de Camus. On y trouve en particulier des développements intéressants, assortis de citations bien choisies, sur la notion de justice.

ROGER QUILLIOT : *La mer et les prisons* (Gallimard, 1970). L'auteur connaît très bien l'histoire contemporaine. Il est aussi le meilleur spécialiste de Camus, dont il a publié les œuvres complètes, avec commentaires, notes et variantes, dans la Bibliothèque de la Pléiade. Les pages 203 à 216, dans le chapitre intitulé « De l'apocalypse au martyre », sont consacrées aux *Justes*.

CONOR CRUISE O'BRIEN : *Albert Camus* (Seghers, 1970, trad. par Sylvie Dreyfus). Étude assez sévère. Camus y apparaît comme le représentant typique de la conscience et de la morale de l'Occident, avec une impuissance foncière à sortir des normes occidentales.

● *Articles de revues.* Retenons deux numéros spéciaux :

— *La Table Ronde.* Nᵒ spécial 146, février 1961. Contient 25 articles (la plupart assez courts) d'auteurs français et étrangers, en général favorables à Camus, mais parfois aussi réticents. (Lire en particulier : H. Gouhier : *A. Camus et le théâtre*, p. 61 à 66.)

- *Hommage à Albert Camus.* NRF, Gallimard, 1967, une cinquantaine d'articles, parus parfois antérieurement dans des revues. Plusieurs des auteurs ont connu et aimé Camus ; d'où un ton presque toujours plein de sympathie et d'émotion. (Lire en particulier : Frank Jotterand : *Sur le théâtre d'Albert Camus,* p. 115 à 120. Cet article parut d'abord dans la NRF en mars 1950.)

• *Études consacrées au théâtre.*

MARC BEIGBEDER : *Le théâtre en France depuis la Libération* (Bordas, 1959). Livre riche et touffu, qui cite un très grand nombre de pièces. On pourra s'y reporter pour s'informer sur l'atmosphère théâtrale à l'époque des *Justes.*

RAYMOND GAY-CROSIER : *Les envers d'un échec. Étude sur le théâtre d'Albert Camus* (Bibliothèque des Lettres modernes, Nº 10, Minard, 1967). Étude attentive et sévère, dont l'auteur cherche à déceler les raisons qui ont empêché Camus d'être un grand dramaturge. Néanmoins, le chapitre 8, intitulé « La catastrophe de Kaliayev » (p. 185 à 219) et consacré aux *Justes,* est écrit avec beaucoup de nuances et un réel respect de la pensée de Camus.

ILONA COOMB : *Camus, homme de théâtre* (Nizet, 1968). Étude solide, documentée, écrite à partir d'une thèse de doctorat soutenue par l'auteur à New York University en 1965. Toutes les facettes de Camus homme de théâtre sont examinées, de l'époque algérienne aux dernières adaptations. Le chapitre VI, consacré aux *Justes,* occupe les pages 113 à 130.

GILLES SANDIER : *Théâtre et combat. Regards sur le théâtre actuel* (Stock, 1970). L'auteur, critique dramatique, a rassemblé dans ce livre copieux des études de ton en général fort polémique sur des pièces ou des mises en scène, entre 1960 et 1970. Rarement l'auteur des *Justes* a été aussi maltraité que dans les pages 257 à 260 de cet ouvrage.

On peut se reporter en outre à deux études parues dans des revues :

ANDRÉ ALTER : *De « Caligula » aux « Justes » — de l'absurde à la justice* (Revue d'Histoire du Théâtre, octobre-décembre 1960, Nº 6, p. 321-336).

PAUL SURER : *Études sur le théâtre contemporain* (Information littéraire, septembre-octobre 1961).

• *Sur Camus et les problèmes politiques :*

ÉRIC WERNER : *De la violence au totalitarisme. Essai sur la pensée de Camus et de Sartre* (Calmann-Lévy, 1972). L'auteur étudie avec beaucoup de sérieux, en s'attachant particulièrement à Camus et à Sartre, les problèmes politiques tels qu'ils se sont posés et se posent encore aux intellectuels; en particulier le problème de la fin et des moyens, du sens de l'histoire, des rapports entre théorie et praxis.

• *Sur Camus et les problèmes moraux et religieux :*

CHARLES MOELLER : *Littérature du XX*e *siècle et christianisme.* Tome I, « Le Silence de Dieu » (Casterman 1954, réédit. 1967). De la p. 25 à la p. 116, l'auteur étudie, en se plaçant d'un point de vue chrétien, l'ensemble de l'œuvre de Camus, et particulièrement l'impasse dans laquelle lui paraît s'enfermer le « Saint sans Dieu », l'humaniste pris entre les nécessités de l'histoire, qu'il réprouve, et des valeurs qu'il refuse de considérer comme transcendantes.

H. DE LUBAC : *Le drame de l'humanisme athée* (10-18, 1963). L'auteur ne parle pas de Camus, mais s'étend longuement sur Nietzsche et surtout Dostoïevski. Les chapitres consacrés à ce dernier et aux problèmes de l'athéisme moderne ne sont pas sans intérêt pour comprendre Camus.

2. DOCTRINES POLITIQUES ET SOCIALES - MOUVEMENTS RÉVOLUTIONNAIRES EN RUSSIE

• Les doctrines :

GEORGES LEFRANC : *Histoire des doctrines sociales dans l'Europe contemporaine* (Aubier, 1966).

JACQUES DROZ : *Le socialisme démocratique, 1864-1960* (A. Colin, Collection U, 1966).

• *L'anarchisme :*

ALAIN SERGENT et CLAUDE HARMEL : *Histoire de l'anarchie* (Le Portulan, 1949). Seul malheureusement a été publié le premier tome, qui va jusqu'à l'année 1880.

HENRI ARVON : *L'anarchisme* (PUF, « Que sais-je ? », 1964).

DANIEL GUÉRIN : *L'anarchisme* (Gallimard, « Idées », 1965). Le chapitre II de la Troisième partie (p. 96 à 126) est consacré à l'anarchisme dans la révolution russe.

HENRI DUBIEF : *Les anarchistes, 1870-1940* (Armand Colin, 1972).

- *L'agitation révolutionnaire en Russie :*

PIERRE PASCAL : *Histoire de la Russie des origines à 1917* (PUF, « Que sais-je ? », 1949).

LÉON TROTSKY : *1905* (Éditions de Minuit, 1969). Retenir cette phrase, dans la préface de l'édition russe de 1922 : « Les événements de 1905 apparaissent comme le puissant prologue du drame révolutionnaire de 1917. »

LA RÉVOLUTION RUSSE DE 1905 (Petite Bibliothèque Lénine II, Bureau d'éditions, Paris, 1934).
Préface de Jacques Duclos. Textes de Lénine.

DAVID FLOYD : *Échec au Tsar-1905*, «Prémices de la Révolution d'Octobre » (Les dossiers du XXᵉ siècle, Lausanne, Éditions Rencontre, 1971).

CONSTANTIN DE GRUNWALD : *La première révolution russe* (Miroir de l'Histoire, août 1965).

▶ Sujets de réflexion

Le meilleur point de départ à des réflexions ou des exposés sur *Les justes* se trouve peut-être dans des jugements souvent partiaux et même polémiques, émis sur la pièce de Camus.

1. Apprécier ce jugement de R. GAY-CROZIER à propos des *Justes* : « Le mélange entre la pièce à thèse et la tragédie classique se révèle adultère » (*Les envers d'un échec*, p. 209).

2. Du même auteur : « Avec Kaliayev, Camus a créé un symbole de son propre échec. » (*Ibid.*, p. 214).

3. Commenter ce jugement de PAUL SURER : « Le théâtre d'Albert Camus ne sera jamais celui du grand public... *Les justes* se présentent comme une épure de géométrie descriptive » (*Études sur le théâtre contemporain*, in « Information littéraire », septembre-octobre 1961).

4. Apprécier ce jugement de P.-A. TOUCHARD sur *Les justes* : « Par la rigueur de cette opposition de devoirs comme par la dureté un peu raide du style, Camus recréait une atmosphère cornélienne. Cette œuvre, qui n'est ni la plus personnelle ni la plus attachante, sera sans doute celle qui survivra le plus » (*L'homme de théâtre*, in « Le Monde », 6 janvier 1960).

5. Compléter le texte de P.-A. TOUCHARD sur « l'atmosphère cornélienne » de la pièce de Camus, par cette phrase de ROGER QUILLIOT : « *Les justes* reprennent la grande tradition du théâtre héroïque, mais un héroïsme dont les temps ont obscurci la signification et empoisonné les sources » (*La mer et les prisons*, p. 215).

6. Êtes-vous d'accord avec EMMANUEL MOUNIER, quand il remarque à propos des *Justes* : « Il était difficile à Camus de ne pas subir l'attraction de la vieille sensibilité anarchiste, avec sa richesse humaine et son infantilisme politique mêlés » (« A. Camus, ou l'appel des humiliés » in *Malraux, Camus, Sartre, Bernanos*, Éd. du Seuil, coll. Points, 1953) ?

7. GILLES SANDIER raille le « jansénisme de boy-scout » qu'il croit déceler dans *Les justes*, et il poursuit : « Entre *Caligula* et *Les justes*, les bons sentiments ont repris leur revanche, et avec eux la rhétorique bien sage » (GILLES SANDIER, *Théâtre et Combat*, Stock, 1970).
Ce jugement ne vous semble-t-il pas trop sévère ?

8. Réfléchir sur le texte suivant, qui pourra amorcer une comparaison entre *Les justes* et *Les mains sales* : « Il ne s'agit pas de donner raison à Kaliayev contre Hoederer. Mais nos idées, pour être défendues, ne peuvent se passer de justes, pas plus que de ceux qui se salissent les mains » (FRANCINE DEMICHEL, *Actualité de Camus*, in « Revue du droit public et de la science politique », septembre-octobre 1969).

9. A cette appréciation équitable, on opposera une phrase ironique d'ANNIE UBERSFELD, qui reproche à Camus d'« adopter l'engagement sans lui permettre de conserver la moindre efficacité » (*Albert Camus ou la métaphysique de la contre-révolution*, in « Nouvelle Critique », janvier 1958, Nº 92). Trouvez-vous ce reproche irrecevable ? Ou pensez-vous qu'A. UBERSFELD met le doigt sur une ambiguïté fondamentale, particulièrement sensible dans *Les justes* ?

10. Selon R.-M. ALBÉRÈS, Camus, qui « a bien senti et exprimé les tendances contradictoires de son époque », mériterait lui aussi d'être appelé un « écho sonore » (*Ambiguïté de la révolte*, in « Revue de Paris », juin 1953). Cette expression est-elle valable en particulier pour *Les justes* ?

11. On pourra enfin, en prenant quelque distance avec la pièce, réfléchir sur le texte suivant : « La grande nouveauté de notre époque, c'est qu'on tue au nom de la liberté et qu'on massacre au nom de la justice. Est-ce donc là qu'aboutit la révolte des purs ? A tout ce sang versé et à cette somme d'injustices plus graves que toutes celles des siècles passés parce qu'elle a été consentie au nom de la conscience ? Il y a certainement une perversion. Quelle est-elle ? C'est que le courant de la révolte, juste en soi, a négligé en chemin les règles morales qui avaient expliqué sa naissance » (GEORGES HOURDIN, *Camus le juste*, Éd. du Cerf, 1960).
Comme le précédent, ce texte invite à penser que *Les justes*, malgré des défauts et des faiblesses, touchent à un des problèmes fondamentaux de notre temps.

Index des thèmes

Imprimé en France — IMPRIMERIE HÉRISSEY, ÉVREUX (Eure) — Nº 49439
Dépôt légal : 82369 — Octobre 1989